On dirait que mon cœur et mon esprit
n'appartiennent pas au même individu.

Jean-Jacques Rousseau

Du même auteur

DOBRYD
Édition canadienne-anglaise, Douglas & McIntyre, 1995
Édition américaine, Permanent Press, 1996
Édition québécoise, VLB Éditeur, 1994
Édition allemande, Suhrkamp, 1996
Édition italienne, Marsilio Editore, 2000

DEFIANCE IN THEIR EYES
Édition canadienne-anglaise, Vehicule Press, 1995
Héros inconfortables, édition québécoise
Les Éditions internationales Alain Stanké, 1996

Le Jardin de Rousseau

Données de catalogage avant publication (Canada)
Charney, Ann

[Rousseau garden. Français]

Le jardin de Rousseau

Traduction de : The Rousseau garden

ISBN 2-89077-193-8

I. Le Beau, Hélène. II. Titre. III. Titre : Rousseau garden. Français.
PS8555.H423R6814 1999 C813'.54 C99-941497-6
PS9555.H423R6814 1999
PR9199.3.C42R6814 1999

Photo : © Michèle Waquant (*Reflet du peuplier droit*, 1984)
Collection Centre Canadien d'Architecture

Conception de la page couverture : Création Melançon
Photo de l'auteur : Joyce Ravid
Révision : Monique Thouin

Titre original : The Rousseau Garden

ISBN 2-89077-193-8
Dépôt légal : 4e trimestre 1999

Imprimé au Canada

Ann Charney

Le Jardin de Rousseau

traduit de l'anglais
par Hélène Le Beau

Flammarion

Chapitre 1

UN MATIN FRISQUET DE MARS dans le parc des Buttes-Chaumont. Claire, qui attendait Adrian, son mari, éprouvait pour les lieux plus qu'un intérêt touristique fugace. Ces hectares de verdure en plein cœur de Paris lui rappelaient un souvenir d'enfance auquel était associé un irrépressible sentiment de bonheur.

Claire avait besoin de tous les souvenirs lumineux susceptibles de rejaillir à sa mémoire. Depuis quelque temps, de soudaines bouffées d'angoisse la saisissaient au moment où elle s'y attendait le moins. Il lui était même arrivé d'abandonner son travail au milieu d'une prise — Claire Symons était une photographe réputée —, au grand étonnement de ceux qui se trouvaient à ses côtés. Ces épisodes auraient pu l'amuser s'ils ne lui avaient pas fait si peur. Une femme qui fuit comme une chatte nerveuse, terrorisée par une chose que nul ne peut voir...

Et maintenant elle se retrouvait dans ce grand parc, à la recherche d'un lac et d'enfants qui font voguer de petits bateaux. Cette scène innocente, réconfortante, elle y avait souvent fait appel dans des moments difficiles. Chaque fois, l'image de ces voiliers se tanguant doucement sur l'eau calme l'avait apaisée.

Claire devait avoir cinq ou six ans lors de son premier séjour à Paris avec sa mère. Elle n'arrivait pas à se rappeler si le souvenir des petits bateaux était lié au premier voyage ou à l'un de ceux qui avaient suivi, ni même s'il fallait l'associer à une promenade dans le parc des Buttes-Chaumont avec sa mère.

Dolly, un sculpteur de talent, enseignait dans un collège à Montréal. Elle venait souvent voir sa meilleure amie à Paris et faire le tour des expositions. Claire se rappelait un terrain accidenté où se dressaient des promontoires escarpés au milieu de boisés touffus sillonnés de sentiers. Cela ne correspondait pas du tout aux paysages soignés du jardin des Tuileries ou du Luxembourg.

Déjà, enfant, Claire jouissait d'une mémoire visuelle étonnante. Sa capacité de retenir certains détails lui valait de ne jamais se perdre dans une ville étrangère. Cette qualité s'avérerait utile dans l'exercice d'un métier qui exigeait de fréquents déplacements. D'ailleurs, ce sens de l'orientation exceptionnel avait fortement impressionné Adrian Arensberg dès leur première rencontre. Admiratif, il lui avait avoué ne pas avoir l'habitude de rencontrer des femmes plus douées que lui à ce chapitre.

En marchant dans les sentiers rustiques du parc, Claire était de plus en plus convaincue de ne pas s'être trompée. Cependant, n'eût été le sentier escarpé qu'elle gravit jusqu'au sommet d'une butte pour avoir une vue d'ensemble, elle n'aurait jamais retrouvé le lac. Pourtant il était là, qui miroitait comme dans son souvenir, avec des enfants tout autour. Elle ne distinguait pas les bateaux, mais elle savait qu'ils glissaient sur l'eau.

Elle dévala un raidillon sinueux en ne quittant pas des yeux le lac qui apparaissait et disparaissait entre les arbres. Enfin, debout, immobile, elle put contempler ce qui semblait être un mirage. Le lac était plus petit, plus enchâssé que dans son souvenir, mais la présence de ce passé longtemps désiré la réconfortait, l'enveloppait comme l'aurait fait une couverture soyeuse familière.

Une fois de plus, ellc entendit la voix rassurante de sa mère et sentit sa main sur la sienne. Claire essayait de faire naviguer un petit voilier loué, mais manipuler la perche demandait une certaine pratique. À son grand désarroi, les petits Français étaient plus doués, mais Dolly était tout près et, pendant tout ce temps où la mère guidait les mouvements maladroits de sa fille en attendant qu'elle y arrive seule, Claire sentait la manche douce de son tricot lui caresser la joue. Elle revoyait une Dolly heureuse, riante, qui, de toute la force de ses bras musclés par des heures de travail sur des formes de bois, la soulevait du sol pour la faire tournoyer dans une danse triomphante. Côte à côte, elles avaient ensuite fièrement observé leur bateau naviguer en direction de la miniflottille française.

Des années plus tard, en marchant au bord du lac, Claire se demandait ce que cette journée dans le parc des Buttes-Chaumont avait eu de particulier pour que le souvenir en fût encore si vivace. Tant d'autres moments agréables passés avec sa mère s'étaient effacés. Pourquoi celui-là avait-il survécu ? Le cerveau humain est semblable à une région secouée par des tremblements de terre, se dit-elle. Chaque nouvelle secousse émotionnelle recouvre un peu plus du terrain. Il ne fallait donc pas qu'elle s'étonne de tenir à ce souvenir comme à une relique.

Adrian lui avait parlé de son enfance au sein du clan Arensberg, cette grande tribu solidaire, et Claire avait été étonnée par la richesse et la complexité de son histoire. Elle-même n'avait que peu de souvenirs de sa vie de famille, et puis les évoquer était douloureux et pénible. Adrian venait avec son passé et elle en prenait possession. En retour, elle n'avait rien d'autre à offrir que sa petite personne. C'était une drôle de façon de voir les choses, avait-il dit en la prévenant qu'à l'usage sa famille lui semblerait bien moins romantique. Le temps lui donna raison. Le clan semblait préférer la compagnie de ses membres à toute autre et l'agenda de chacun était rempli de fêtes et de rencontres comme si la famille avait été une religion en soi exigeant une stricte observance. Adrian lui recommanda de ne pas se convertir.

Claire sourit en pensant à lui et regarda sa montre. Il était en retard. Après trois années de mariage, elle ne s'en étonnait plus. Adrian, par égard pour sa compagne, avait pourtant avancé les aiguilles de sa montre de quinze minutes, mais sa volonté semblait impuissante devant son penchant naturel. La ponctualité de Claire — compulsive selon Adrian — n'arrangeait pas les choses.

Dès le premier jour, tout lui avait plu chez Adrian : ses cheveux soyeux et bouclés, son corps massif et agile, son humeur égale, sa compétence rassurante. Même sa voix douce et grave qui obligeait Claire à se pencher pour saisir ses paroles l'avait séduite. Cela avait été un choc de découvrir ce vilain défaut : où qu'il aille, Adrian était absolument incapable d'arriver à l'heure.

Claire finit par comprendre que l'indifférence ou les mauvaises manières n'avaient rien à voir avec cette absence de ponctualité. La réalité était beaucoup plus simple : la vie conspirait à entraver les plans d'Adrian et, par conséquent, à saboter ses meilleures intentions. Elle put le constater elle-même la première nuit qu'elle passa chez lui, peu de temps après leur rencontre. Adrian avait gentiment offert de la ramener chez elle le matin pour qu'elle se change avant sa rencontre avec un coureur automobile qui venait de monter sur un podium international. Claire était mandatée par un magazine pour faire des photos. Comme Adrian et elle n'en étaient qu'aux premiers balbutiements de leur relation, elle avait jugé plus convenable de ne pas apporter de vêtements de rechange.

Pendant le petit-déjeuner, elle sirotait tranquillement le thé qu'Adrian lui avait versé dans une tasse bleue translucide, et méditait sur l'étrange sentiment de satisfaction qui l'envahissait. Tout semblait trop bien, trop vite, trop raisonnable avec cet homme. Elle avait eu des amants difficiles, exigeants, et quelle qu'ait été la durée de chaque relation, son besoin de solitude s'était toujours violemment fait sentir. Ce nouveau contentement était comme une hausse brutale de température qui l'aurait surprise sous un épais manteau d'hiver. Pourtant, assis de l'autre côté de la table, c'est un Adrian calme, élégant et bien réveillé qui épluchait son courrier du matin. Une heure plus tôt, cet homme dormait si profondément à ses côtés qu'elle avait hésité à le réveiller.

« Qu'est-ce que c'est que ça ? » dit-il en examinant une enveloppe qu'il venait de tirer de la pile de courrier. « Mauvais nom, mauvaise adresse. Je me demande comment elle a pu atterrir ici et maintenant il est trop tard pour rattraper le facteur. Ça ne t'ennuie pas qu'on la dépose en passant ? » demanda-t-il en glissant la lettre dans la poche intérieure de son veston de laine. Pour sa part, Claire se serait contentée de jeter l'enveloppe dans une boîte à lettres et de l'oublier, mais elle préféra se taire. Un homme qui prenait la peine de faire un détour pour livrer une lettre à un inconnu valait bien quelques minutes d'attente.

L'aventure évidemment dura un peu plus que quelques minutes. Adrian n'était pas très doué pour évaluer le temps, et puis les embouteillages le matin n'étaient pas faits pour aider. De toute façon, cela n'avait pas d'importance. Claire aurait volontiers passé le reste de la journée avec lui au milieu des voitures, bercée par un concert de klaxons exécuté par des conducteurs impatients. En plus de tout ce qu'elle aimait déjà chez lui, elle découvrait un homme intègre. Adrian était un bon gars en guerre avec la ponctualité.

Après trois ans, Claire était toujours aussi fascinée par l'intégrité d'Adrian et lui, toujours aussi en retard. Mais elle s'y était faite et prévoyait maintenant ses retards. Elle se résigna à l'attendre et, une fois qu'elle eut trouvé un endroit tranquille, elle sortit de son sac un recueil de lettres choisies attribuées à Jean-Jacques Rousseau, le grand philosophe français du dix-huitième siècle. Le livre lui avait été offert par Marcel de Berry, un ami d'Adrian.

En lui offrant ce livre, Marcel avait voulu se faire pardonner son comportement lors de son dernier séjour à Montréal. À son arrivée là-bas, il s'était montré agacé en apprenant que la chambre d'invités qu'il occupait habituellement avait été transformée en studio et en chambre noire. De mauvaise grâce, il s'était installé à l'hôtel et n'avait pas ménagé ses efforts pour tyranniser Claire avec toutes sortes de requêtes embêtantes. Pouvait-elle apporter un peu de savon à lessive ce soir quand elle viendrait dîner avec Adrian ? Pas la peine d'acheter toute une boîte de détergent pour une chemise ou deux à laver et quelques sous-vêtements et des chaussettes. Ensuite, il lui demanda des cintres de plastique parce que les cintres de bois de l'hôtel risquaient de tacher ses chemises. Plus tard, ce fut le tour du parapluie, puis de la bouillotte pour ses courbatures, enfin des comprimés pour son mal de tête. En dépit de ses demandes répétées, Marcel ignorait sciemment Claire quand ils se retrouvaient tous les trois pour le dîner et ne s'adressait qu'à Adrian.

Adrian et Marcel étaient historiens de l'art et le début de leurs échanges intellectuels remontait à plusieurs années, en fait, depuis une conférence à Genève où ils s'étaient découvert une passion commune pour les jardins, qu'ils voyaient tous deux comme des œuvres d'art. Quand ils étaient ensemble, Claire éprouvait la même chose que ce qu'elle avait éprouvé la première fois qu'Adrian l'avait invitée à une fête de famille. Les trois sœurs, leurs époux et leurs enfants, les tantes, les oncles, les cousins, tous ces gens parlaient une sorte de dialecte codé presque incompréhensible. Claire, qui était enfant unique, n'avait pas connu le brouhaha familial. L'exubérance bruyante de la famille d'Adrian l'avait étourdie. On l'appréciait pourtant dans ce cercle — deux de ses sœurs lui avaient même confié qu'Adrian semblait beaucoup plus heureux depuis qu'elle l'avait épousé. La troisième sœur, qui déjeunait régulièrement avec l'ex-femme d'Adrian, l'illustre Pamela Porter, était une inconditionnelle de Pamela. Et avec Marcel, les relations ne s'étaient pas améliorées.

Contre toute attente et après avoir appelé pour lui emprunter une petite valise pour y ranger ses derniers achats, Marcel lui avait offert ce cadeau avant de partir. Le livre, en assez mauvais état, était une trouvaille, lui dit-il. Les lettres du philosophe s'adressaient à une femme dont on ignorait l'identité, et il subsistait des doutes sur leur authenticité. « Ces querelles d'académiciens n'affectent pas celui qui lit pour le pur plaisir du texte. Tu t'intéresses au jardinage, n'est-ce pas ? Tu verras que Rousseau — je préfère croire qu'il en est l'auteur — brosse d'exquis tableaux de la nature dans ses différentes manifestations. Tu sais, c'était un botaniste autodidacte et il gagnait sa vie comme herboriste. »

Était-ce un hasard ou Adrian lui avait-il soufflé l'inspiration pour le cadeau ?

Adrian n'ignorait pas que Jean-Jacques Rousseau avait joué un rôle particulier dans la vie de Claire. « C'était le gourou de ma mère, son conseiller spirituel », avait-elle lancé un jour d'un ton désinvolte pour répondre à Adrian qui se demandait ce que faisait le portrait du philosophe dans sa chambre à coucher. Le tableau — une copie du célèbre portrait peint par Allan Ramsay durant le séjour de Rousseau en Écosse — avait appartenu à Dolly et il suivait Claire dans tous ses déménagements. La question avait été posée la première nuit qu'Adrian avait passée dans l'appartement de Claire. Il lui avait demandé de préciser, jugeant sans doute sa réponse évasive, mais elle ne s'était pas prêtée au jeu. Parler de sa mère comportait certains risques et elle ne voulait pas gâcher le doux plaisir de la présence d'Adrian. Il ne fallait pas que ça arrive. Ils se connaissaient à peine, sa voix sur le répondeur la surprenait encore, mais elle sentait que cet homme au regard franc, dont le calme dégageait une certaine intensité, allait compter dans sa vie. L'histoire de Dolly pouvait attendre.

Adrian finit pourtant par découvrir comment s'était exercée l'influence de Rousseau sur l'éducation de Claire. Dolly répétait souvent à sa fille que l'exaltation rousseauiste de la nature était un levier esthétique essentiel dans la redéfinition de son travail. Claire pouvait quasiment réciter par cœur les explications de sa mère. Dolly, peu satisfaite de son œuvre figurative du début, avait puisé son inspiration chez Rousseau. Elle partait pour de longs séjours à la campagne où elle esquissait des formes naturelles et, de retour dans l'atelier, elle transposait ses croquis sur des blocs solides pour en tirer des formes géométriques abstraites. Claire retrouva même une phrase retenue par Dolly pour une exposition, « avec Rousseau comme guide, je perçois l'énergie et le mouvement inhérents à la nature dans toutes ses formes ». Adrian aurait aimé en savoir davantage, mais Claire ne connaissait pas les réponses. En grandissant, elle avait fait la sourde oreille à ce que disait Dolly sur Rousseau. Trop affectée par les absences de sa mère, elle n'avait jamais vraiment voulu comprendre.

En lisant les lettres, Claire regrettait son entêtement passé et commençait à apprécier le cadeau de Marcel. La voix de Rousseau lui parvenait tel l'arôme envoûtant d'une fleur séchée entre les pages d'un livre. Elle en fut saisie. Le ton querelleur, ce désir de se justifier et l'étonnante intimité retinrent son attention plus que ne l'avaient jamais fait les discours de Dolly. Rousseau était beaucoup plus séduisant dans ses propres mots. Ou peut-être avait-elle une raison de se sentir plus sensible à la voix du philosophe ?

Lasse d'être assise, elle referma le livre après quelques pages et reprit sa promenade. Adrian donnait un exposé aux étudiants de Marcel à l'École des beaux-arts. Cela justifiait sans doute qu'il fût encore plus en retard que d'habitude. Ses conférences en histoire de l'art étaient invariablement suivies par une foule d'admirateurs, qui cherchaient ensuite à le retenir le plus longtemps possible. Claire avait tout le temps d'explorer les environs.

Elle fut étonnée de voir quelques enfants, certains accompagnés d'un adulte, à l'intérieur d'un petit enclos de verdure entouré de treillis métalliques sur lesquels était fixée une affichette « Pelouse autorisée ». Cette scène paisible évoquait pour elle des moutons broutant dans un pâturage. Non loin, un employé solitaire répandait délicatement de la terre noire sur de jeunes pousses. Elle lui demanda une explication. « Le maire a décidé d'ouvrir certaines pelouses au public, répondit-il en se redressant. C'est la fin des jardins d'antan. Les gens viendront avec leurs chiens et les pelouses se transformeront en dépotoir, comme les rues de Paris. »

Claire n'avait rien vu de cela le matin, elle n'en fut pas moins secouée par le pessimisme de l'employé. Le parc ressemblait encore à ce qu'il avait été au dix-neuvième siècle, à en juger par les reproductions qu'on vendait à l'entrée principale. Elle ne voulait pas que les Buttes-Chaumont, théâtre d'un de ses plus beaux souvenirs d'enfance, changent. Les lieux soigneusement entretenus eurent tôt fait de la rassurer. Les bancs proprets n'avaient pas été vandalisés. Des promeneurs disciplinés discutaient à voix basse sans troubler la quiétude de la journée. Claire pouvait entendre le chant des oiseaux qui voletaient au milieu de rameaux touffus aux feuilles à peine écloses. La sérénité du lieu était encore plus appréciable en l'absence de bruits de magnétophones, de transistors et de frisbees fendant l'air. Pas de trace, non plus, de gens aux mines patibulaires traînant dans les sentiers bien entretenus. Les Français étaient trop fiers de leurs chers jardins publics pour tolérer qu'ils se dégradent, décida-t-elle. Même les chiens marchaient aussi calmement que leur maître. Se souvenant des paroles du jardinier, Claire se demanda si l'une de ces bêtes bien dressées ne pourrait pas brutalement, par atavisme, rompre les rangs et s'élancer sur une pelouse interdite dans une sorte de célébration sauvage. Pendant un bref instant, elle se surprit à rêver que la chose se produise, rien que pour voir la tête des gens autour.

Elle poursuivit sa marche en se disant que c'était une chance de disposer d'autant de temps pour observer le comportement des hommes et des bêtes. Elle goûtait ces heures d'oisiveté que permettait le nouveau projet d'Adrian. Il préparait un essai sur les jardins français et ces quelques mois à Paris constituaient une des étapes de sa recherche. Adrian n'avait pas eu de mal à la convaincre de le suivre. Claire avait un urgent besoin de repos et l'idée de se trouver à ses côtés dans la ville qu'elle aimait le plus au monde était trop tentante pour y résister. C'est ce qu'elle avait dit à son agent à Toronto, ainsi qu'à ses amis de Montréal. C'était vrai, mais en partie seulement. Claire entretenait secrètement d'autres espoirs pour ce séjour.

Paris appartenait à ce passé qu'elle partageait avec Dolly. Elle était sûre de trouver ici une explication aux peurs irrationnelles dont elle était victime depuis quelque temps.

La première crise s'était déclarée pendant une séance de photos somme toute assez banale. On lui avait demandé de photographier un magnat des affaires dirigeant d'une multinationale des médias dont le siège social était à Toronto. En rentrant dans l'imposant bureau du président, elle avait su tout de suite qu'il y aurait des problèmes. Le type était sans cesse dérangé par des appels téléphoniques, l'arrivée de télécopies et des documents à signer, ce qui l'empêchait, elle, de se concentrer sur la mise en scène. « Je serai avec vous dans une minute », répétait-il pour la rassurer, et Claire attendait, prise de vertiges, avec le sentiment grandissant d'être prisonnière. Elle n'avait jamais aimé se trouver enfermée dans ces tours hermétiquement closes à atmosphère contrôlée. Chaque fois qu'elle le pouvait, elle insistait pour qu'on la loge dans un hôtel où elle pourrait ouvrir les fenêtres. Devant cet homme, son aversion se transforma soudain en panique, son cœur se mit à tambouriner et elle sentit ses mains devenir moites. Elle oublia les allées et venues du personnel, son assistant qui attendait ses instructions pour l'éclairage et même le magnat qui n'arrêtait pas de sourire pour lui rappeler qu'il ne l'oubliait pas. Elle n'avait qu'une idée en tête : fuir, quitter la pièce, sortir de l'immeuble. Si elle ne le faisait pas immédiatement, elle allait mourir. La course lui parut interminable. Claire avait l'impression de se trouver dans une séquence de film au ralenti, flottant au milieu d'une longue série d'obstacles devant les regards ahuris des employés témoins de sa fuite. Elle fut enfin dehors, affaiblie par sa course, appuyée au mur pour ne pas tomber mais libre et au grand air. Rien ni personne n'aurait pu la faire revenir à l'intérieur de la matrice scellée de l'immeuble pour terminer son boulot.

L'agent de Claire, la dynamique Lucinda Fraser, qui la connaissait depuis des années et s'attribuait une importante responsabilité dans son succès, fit de son mieux pour réparer les dégâts. Sa diplomatie proverbiale valut à Claire de recevoir du magnat un bouquet de fleurs et des souhaits de prompt rétablissement. Claire passa un coup de fil à Lucinda pour la remercier et l'agent en profita pour l'encourager à se débarrasser de son énergie négative : « Viens passer une semaine dans mon ashram, proposa-t-elle. Ça te fera un bien fou. Je ne sais pas comment je me débrouillais avant, mais chaque fois que j'en reviens je suis une autre personne. » Claire aimait bien Lucinda, elle se garda donc de lui rappeler qu'elle avait attribué les mêmes pouvoirs régénérateurs à la conduite de sa Harley, jusqu'à ce qu'une chute ne refroidisse ses ardeurs.

Dans tous les cas, Claire voulait oublier. Elle préférait considérer ce moment de panique comme un incident isolé, une aberration un peu gênante sur un parcours autrement sans faille.

Elle avait toujours eu beaucoup de chance dans le travail et il n'y avait pas de raison que cette chance l'abandonne. Cela avait débuté avec le journal étudiant de l'université. Le rédacteur en chef, un ex-petit ami, voulait des photos pour illustrer un article sur un groupe de Mohawks armés qui défendait un cimetière amérindien menacé d'être transformé en terrain de golf. Sans hésiter, Claire s'était rendue sur la réserve. Le campement était cerné par les policiers, mais elle avait réussi à y pénétrer pour n'en ressortir qu'une semaine plus tard avec des rouleaux de pellicule que s'étaient par la suite arrachés les journaux et les magazines du monde entier. Elle s'était trouvée au bon endroit au bon moment. À la fin de ses études, l'agence de Lucinda l'avait approchée et depuis, Claire travaillait régulièrement pour elle. Elle se persuada que quelques symptômes étranges ne l'empêcheraient jamais d'exercer son activité principale.

Ils réapparurent en deux autres occasions, à plusieurs semaines d'intervalle et dans des circonstances apparemment différentes. Claire commença sérieusement à s'inquiéter. Elle avait toujours joui d'une excellente santé, au point de ne pas fréquenter un médecin de famille. Inquiet, Adrian la pressa de voir le sien, une amie de longue date. Elle prit alors conscience que ces épisodes troublants n'étaient pas des incidents isolés.

Le docteur Susan Alvarez lui fit subir un examen complet, confirma qu'elle était en excellente santé, mais ajouta qu'elle souffrait d'attaques de panique, un trouble anxieux assez commun et facile à soigner. Elle lui recommanda de suivre des cours de relaxation et de prendre de longues vacances. « Le voyage d'Adrian en France ne peut pas mieux tomber, dit-elle à Claire. Je suis prête à parier que ce sera plus efficace que n'importe quels cachets que je pourrais vous prescrire. »

Soulagé, Adrian la pressa de suivre les conseils du docteur Alvarez. Allongée sur son lit, bercée par une voix paisible qui susurrait du magnétophone de se concentrer sur sa respiration, de tendre et de détendre un à un les muscles de son corps, Claire était loin d'être convaincue. Elle voyait mal comment des exercices aussi insignifiants pourraient contrôler les sensations violentes qu'elle avait éprouvées. Plus troublante encore, la pensée que ces crises étaient associées à quelque chose d'inéluctable, de congénital. Sculpteur de talent promis à un brillant avenir, Dolly avait tout abandonné sans que personne ne comprenne pourquoi. Était-ce son destin que de répéter l'échec de sa mère? Elle continuait ses exercices de relaxation tout en étant persuadée que son avenir était lié à la compréhension de ce qui était arrivé à sa mère.

À Paris, ce serait sa quête, s'était-elle dit en nuançant le mot avec un brin d'ironie, sachant qu'il convenait quand même au but qu'elle s'était fixé. Pourquoi Dolly avait-elle abandonné son travail au retour de son dernier séjour en France ? Que s'était-il passé dans ce pays qu'elle adorait pour qu'une ambitieuse artiste se métamorphose en une femme triste et désœuvrée ? Claire avait treize ans au moment de cette mystérieuse transformation. Le sens de cette tragédie s'obscurcissait à mesure que le temps passait. Sa recherche ne serait pas aisée. La vérité était enfouie sous des années de silence. L'élégante capitale apparaissait aujourd'hui comme un labyrinthe aux chemins envoûtants qui la conduiraient vers le passé.

L'année précédant la tragédie, sa mère avait remporté un concours qui offrait un séjour d'une année dans la Ville lumière. Dolly aurait aimé que sa fille l'accompagne, mais Claire avait refusé. Comment osait-elle lui demander de rater sa rentrée en première année de secondaire alors qu'il n'avait été question que de cela depuis des mois avec ses copines? Dolly multiplia les efforts pour la convaincre, sachant que ce serait une merveilleuse occasion de se retrouver avec sa fille, mais rien n'y fit. D'une certaine manière, Claire avait voulu punir Dolly en lui disant : « Si tu choisis ton art, tu ne peux pas m'avoir aussi. » Elles se livrèrent une lutte acharnée pendant des semaines. En comparaison, les discussions entre ses parents sur le même sujet lui paraissaient étonnamment silencieuses quand, allongée dans son lit, elle essayait de décoder leurs murmures de l'autre côté du couloir. Son père détestait les disputes.

Claire ne regrettait pas d'être restée. Elle avait l'impression d'une plus grande maturité aux côtés de son père. Avocat, il était souvent retenu au bureau et passait en général ses soirées à étudier ses dossiers et à écouter de la musique. Leur entente était cordiale sans qu'il fût nécessaire de beaucoup parler. « Bonne journée ? » demandait-il, accueillant ses réponses courtes sans poser de questions. Il n'y avait pas lieu de le mettre à l'épreuve comme avec Dolly. Claire recevait son amour avec calme puisqu'elle n'avait pas de raison d'en douter. Elle s'ennuya à peine de sa mère pendant toute la durée de son absence. La nuit, allongée dans son lit devant les pastels de Dolly accrochés aux murs, son esprit voguait d'une pensée à l'autre, de l'école aux amies, aux tourments naissants de l'adolescence. Il lui arrivait, pour des raisons toutes plus triviales les unes que les autres, d'en vouloir à Dolly de ne pas être là, par exemple pour l'aider à trouver un tricot ou pour s'enthousiasmer d'un nouveau projet à l'école.

C'est à cette époque que Claire découvrit la photographie. Avant de partir, Dolly lui avait offert un appareil photo. « Comme je ne m'attends pas à ce que tu écrives souvent, tu m'enverras des photos, tout ce qui peut attirer ton regard. » Après quelques essais — photos d'amis, photos du chat —, Claire s'inscrivit au club de l'école. Plus assurée, elle photographia le reflet de la lumière du matin sur le papier peint de sa chambre, son père endormi dans son fauteuil préféré, le visage d'une amie au téléphone avec un copain qu'elle aimait bien, l'enfant du voisin déguisé pour l'Halloween. Dolly approuvait ces essais et encourageait sa fille dans chacune de ses lettres.

Dolly revint à Montréal beaucoup plus tôt que prévu. À son grand étonnement, Claire fut ravie de la retrouver, mais elle comprit très vite que quelque chose n'allait pas du tout. Cette femme était devenue une autre, un imposteur venu jouer le rôle de sa mère, et elle le jouait mal. Qui donc était cet être triste et las qui passait des heures assis à fixer un point dans l'espace ? Claire s'ennuyait cruellement de l'ancienne Dolly. Elle lui en avait voulu de consacrer tant de temps à son art, mais la nouvelle Dolly était plus inaccessible encore. Les semaines passaient et la porte de l'atelier restait fermée. Même la campagne, qui l'avait rendue si heureuse dans le passé, ne l'intéressait plus.

Claire aurait aimé que son père l'aide à comprendre, mais il était aussi désemparé qu'elle. « Ta mère est forte, avait-il dit en posant une main réconfortante sur son épaule, elle s'en sortira. » Insatisfaite de cette réponse, Claire interpréta le désarroi de sa mère à sa manière. Quelque chose de terrible était arrivé à Paris, c'était la seule explication possible. Si seulement elle y était allée, comme Dolly l'avait souhaité, elle serait peut-être arrivée à la protéger. Le passage des années n'effaça ni le doute ni la culpabilité, qui s'incrustèrent malgré tout.

Claire détenait peu d'indices pour son enquête. Elle avait cherché une réponse dans les vieilles photos de famille, en s'attardant sur celles prises par son père durant les derniers mois de la brève existence de Dolly. À force de les examiner, le visage de sa mère devenait celui d'une étrangère. Quel qu'ait été son secret, il demeurait invisible à l'œil pénétrant de la caméra. Ces images exerçaient un étrange pouvoir sur Claire. Plus encore que les milliers de photos qu'elle avait prises durant sa carrière, ces clichés amateurs montrant sa mère lui étaient incroyablement irrésistibles. Elle y revenait sans cesse.

Ces images énigmatiques lui rappelaient les derniers travaux de sa mère — des formes à peine esquissées qui tentaient d'émerger des imposants blocs de bois. Son père finit par vendre la maison familiale et Claire récupéra les sculptures pour les ranger dans un entrepôt. Chaque fois qu'elle revoyait ces formes à moitié terminées, à jamais prisonnières de la désertion de l'artiste, Claire ne pouvait s'empêcher de penser que quelque chose était irrémédiablement perdu. Que représentaient ces formes et que seraient-elles devenues ? Elle les voyait un peu comme des demi-frères ou des demi-sœurs, orphelins comme elle depuis la mort de Dolly.

Lire Rousseau était une autre façon de revenir à sa mère. Ses premières tentatives, initiées par Dolly des années plus tôt, l'avaient profondément ennuyée. Aujourd'hui, elle plongeait dans cette écriture et se frayait un chemin à travers les couches de sens, à la recherche d'indices pouvant la guider vers la conscience de Dolly. Comme elle regrettait ses réticences passées ! Son intérêt nouveau pour Rousseau ne lui apportait aucune des réponses qu'elle cherchait. Le grand philosophe appartenait sans doute à une vie antérieure de Dolly, à l'époque de ses longues escapades à la campagne, quand elle revenait, le visage rayonnant, les cheveux emmêlés fleurant l'air pur, son être rempli d'une énergie triomphante qui emportait Claire et son père dans son sillage. À la fin, Rousseau avait certainement aussi abandonné Dolly.

C'étaient les seuls indices dont elle disposait — une femme mystérieuse souriant sur des photos, des formes à peine discernables dans des blocs de bois, la présence invisible de Rousseau et le souvenir troublant de Dolly à son retour de Paris, si différente qu'elle ressemblait à peine à la mère que Claire avait connue.

Voilà qu'elle s'y trouvait à son tour. À Paris, sa quête promettait d'être plus fructueuse. Depuis son arrivée, elle se promenait dans la ville et essayait d'imaginer sa mère flânant dans les mêmes rues. Ce n'était pas difficile. À trente-sept ans, Claire n'avait que quelques années de moins que Dolly à l'époque des événements. Elles se ressemblaient, d'après les photos qu'elle avait pu voir. Son père le lui avait dit la dernière fois qu'elle l'avait vu à Victoria, où il vivait avec sa nouvelle femme. Les mêmes cheveux foncés et bouclés, les mêmes pommettes, le front large et les yeux gris clair. Mais Claire était plus grande, elle le devait à sa famille paternelle.

Certains quartiers de Paris changent peu. Pour Claire, cela accentuait le sentiment de continuité et d'intimité avec la présence de sa mère. Dolly disait toujours que les Français savaient donner aux gestes simples du quotidien une saveur poétique particulière. Claire avait pu s'en rendre compte au cours des dernières semaines. La moindre course était pur bonheur : les visites quotidiennes au marché, le boulanger du coin, le marchand de journaux, le traiteur, le caviste et même les haltes dans le café du quartier, le tout mêlé de courtoisie et de légèreté. Il était aisé d'imaginer Dolly, exubérante, guidant sa fille dans les rues de Paris avec le même enthousiasme que celui qui l'avait animée quand, des années plus tôt, elle lui avait montré comment faire voguer un petit voilier.

Chapitre 2

LE PARC SE VIDAIT LENTEMENT à mesure qu'approchait l'heure du déjeuner. Claire consulta sa montre. Adrian était vraiment en retard. Il aurait des comptes à lui rendre ! Elle revint au lieu convenu du rendez-vous. Nulle trace de son mari. Elle s'engagea dans un sentier obscur qui menait à un ravin. Tant mieux si Adrian avait du mal à la trouver. « Jouer à cache-cache à ton âge ! » se reprocha-t-elle, sans grande conviction.

Elle avait découvert avec le mariage que l'amour ne l'empêchait pas d'être parfois profondément irritée par certains comportements d'Adrian. Avant lui, la moindre contrariété la conduisait presque inexorablement à la rupture. Mais Adrian était là pour rester, elle en avait décidé ainsi, ce qui ne l'empêchait pas par moments d'être agacée en sa présence. Pas seulement à cause de ses retards, ou de sa tendance à théoriser sans arrêt, ou encore de sa façon complaisante d'accueillir les flatteries de Marcel. Non, en ce moment, ils n'étaient pas sur la même longueur d'onde.

Claire craignait que cela n'ait à voir avec son état actuel. Elle passait trop de temps à broyer du noir. Les crises de panique l'avaient vraiment secouée et plonger dans le passé se révélait douloureux. Plus que jamais elle avait besoin de lui mais, avec son livre et ses recherches, Adrian semblait indifférent à ses problèmes, auxquels, de toute façon, il n'avait pas de temps à consacrer. Claire se posait des questions. Dans le passé, l'harmonie de leur couple avait-elle été tributaire de leurs nombreuses séparations ? Elle songea avec nostalgie à l'accueil amoureux qu'il lui réservait chaque fois qu'elle revenait d'un engagement à l'extérieur. Aujourd'hui, ses réactions lui rappelaient douloureusement l'époque où, enfant, elle entrait dans l'atelier de sa mère dont elle sentait monter l'impatience. Était-ce pour cela qu'elle avait choisi Adrian ? Pour retrouver cette sensation originelle d'un amour intense entravé par un manque d'attention ? « Ce n'est jamais aussi simple », se dit-elle, mais l'analogie la troublait.

Adrian arriva enfin, au moment où ces pensées menaçaient de déterrer de nouvelles couches d'angoisse. Le plaisir de Claire fut de courte durée car Marcel suivait alors qu'elle avait espéré se trouver seule avec son mari. C'était la dernière personne qu'il aurait dû emmener.

— J'étais inquiet, dit Adrian en l'embrassant. Où étais-tu passée ?

Ce baiser ne la radoucit pas. « Les crimes insignifiants et répétitifs de nos proches sont ceux que l'on pardonne le moins », songea-t-elle.

— J'en avais assez d'attendre. Tu as de la chance que je ne sois pas partie.

— Désolé, dit-il, de manière à paraître vraiment repentant. On aurait dit que ça ne finirait jamais.

Elle lui pardonna. Il était plus simple de lui en vouloir quand il n'était pas là.

— Tu me raconteras à table, si tu veux bien, rétorqua-t-elle sur un ton aussi cordial que le sien. Je meurs de faim.

— Parfait, répondit-il. J'ai une surprise pour toi. On a réservé une table au *Pavillon du Lac,* juste à côté. Excellente cuisine d'après Marcel. Il faut attendre un peu, c'est tout.

— Combien de temps ?

Le soleil avait disparu derrière un nuage et elle commençait à avoir froid. Marcel y alla d'une remarque qui n'arrangea pas les choses.

— L'impatience gâte le plaisir, ma chère Claire. Viens t'asseoir un peu sur le banc et je te promets que l'attente ne sera pas vaine.

Marcel réveillait ses pires instincts, se dit-elle en réprimant une envie soudaine de le frapper. Inconscient du danger, il se pencha et lui chuchota à l'oreille :

— Adrian a été formidable ce matin. Les étudiants ne voulaient plus le laisser partir. Tu devrais être fière de lui.

Claire détourna la tête, signifiant qu'elle n'était pas intéressée à poursuivre. Marcel battit en retraite et reprit avec Adrian la discussion sur les jardins. Les travaux d'Adrian portaient en ce moment sur l'histoire des grands jardins français des dix-septième et dix-huitième siècles — Fontainebleau, Chenonceaux, Chantilly, les Tuileries, Vaux-le-Vicomte, Versailles. Partant a priori de l'hypothèse que ces jardins comptaient parmi les plus ambitieuses œuvres d'art du monde, il voulait comprendre ce qui en avait permis la réalisation.

— C'est fou comme les Français sont rigides quand il est question de jardins, dit-il en se tournant vers Marcel. Selon vous, l'Anglo-Saxon a une vision sentimentale et idyllique de la nature, alors que le jardin traditionnel français est l'expression ultime d'un esprit rationnel.

— Tu as mal compris, Adrian. Cette rigidité n'est qu'un besoin de classifier, d'établir des catégories. Je suis d'accord avec toi, le jardin traditionnel français est une forme d'assujettissement de la nature et une glorification de la présence humaine. Ce que je dis, c'est que si le jardin du dix-septième incarnait l'ordre spatial de son époque, il serait intéressant de se pencher sur ces règles. Dans ce contexte spécifique, je crois que l'artificialité n'est pas nécessairement une notion négative.

Claire ne pouvait plus admirer un jardin avec la même innocence ni pour le simple plaisir. Avec Adrian, elle avait découvert un vaste champ d'étude, riche et diversifié, qui chamboulait sa vision du jardin, celui des catalogues de graines, des plates-bandes de vivaces et des recettes de compost. Elle se surprenait encore de l'indifférence d'Adrian pour les fleurs et les plantes. Il n'était pas non plus particulièrement sensible aux charmes de la nature, quelle que soit la somptuosité d'un paysage. Pour lui, il n'avait d'intérêt que s'il portait la marque d'une vision esthétique qui la transformait en œuvre d'art, digne alors qu'on s'y intéresse. Claire était flattée qu'il éprouve le besoin de lui faire part de ses idées. Elle aimait le voir s'animer dans ces moments-là, mais sa passion demeurait abstraite. Plus que ses propos, ce sont les émotions qu'elle lisait sur son visage qui la fascinaient.

Adrian ne s'intéressait pas du tout au jardinage et cela s'avéra une véritable bénédiction pour Claire quand elle emménagea chez lui. Elle n'avait eu aucun mal à quitter son petit appartement pour la grande maison victorienne d'Adrian. D'une des fenêtres, la vue de la montagne plantée au milieu de la ville était magnifique. Elle pouvait aussi suivre le cours du grand fleuve qui coulait devant le cœur historique de Montréal. Elle eut un peu de mal au début à faire sa place dans ces pièces impeccablement rangées qui interdisaient le doux désordre qui avait toujours régné chez elle. Même ses vêtements, ce fouillis de couleurs et de tissus, ajoutaient une note discordante à la garde-robe sobre et discrète d'Adrian. Depuis qu'elle vivait loin de son père, Claire occupait des appartements exigus et encombrés qui finissaient tous par se ressembler. Elle faisait peu de cas de la décoration et ne se souciait guère de confort domestique. Seul dans la chambre noire régnait un semblant d'ordre. Pendant quelques mois, elle avait eu du mal à ne pas se sentir comme une invitée de passage chez Adrian. Comment aurait-elle pu s'occuper d'aménager leur intérieur alors que toutes les pièces étaient déjà si bien organisées selon un plan soigneusement dessiné ?

Le printemps était venu et elle avait découvert le jardin derrière la maison. Ce coin de verdure abandonné, envahi par la mauvaise herbe, ne suscitait aucun intérêt chez Adrian. Elle se l'appropria et y fit ses premières armes. Elle lutta contre les plantes indigènes, déplorant ne pas s'être intéressée davantage aux travaux de magicienne de Dolly dans leur jardin familial. Le jardin de Dolly était surtout composé de fleurs sauvages. Se déployant en vastes étendues courbes aux couleurs changeantes, il était constitué de spécimens qui, rapportés de ses excursions à la campagne, se multipliaient sous ses soins amoureux. C'était tellement différent des plates-bandes bien ordonnées qui délimitaient les pelouses des voisins. Claire finit par se débrouiller toute seule. Dès le troisième été, la jungle touffue et sauvage s'était transformée en une oasis de parfums, de couleurs et de formes qui faisait sa fierté. Lentement, le jardin se frayait un chemin dans la maison et la transformait discrètement grâce à la luxuriance de ses offrandes. Dès les premiers jours du printemps et jusqu'à tard en automne, des cortèges de fleurs coupées passaient dans toutes les pièces. Petit à petit, avec les iris, les delphiniums, les lupins, les roses, les lis et les dahlias, Claire avait pris possession de la maison.

Elle essaya en vain de s'intéresser à la conversation entre Adrian et Marcel, mais, tout près de là, un charmant suspense se préparait, tout aussi merveilleusement construit que les escarpements artificiels qui se dressaient derrière elle. Une fillette à l'air grave, qui portait dans ses bras une grosse poupée, envisageait avec méfiance la traversée d'un étroit ruisseau sur une rangée de grosses pierres. Elle posa le pied sur la première, puis elle s'immobilisa. Les pierres étaient rapprochées et l'eau peu profonde. L'enfant n'était pas plus en danger que si elle avait barboté dans sa baignoire, mais la femme qui l'accompagnait, trop vieille pour être sa mère, n'arrêtait pas de l'interpeller : « Attention, Manon ! Prends garde de ne pas glisser ! Pas trop vite, ma chérie ! » En s'adressant à la timidité naturelle de l'enfant, elle avait transformé la traversée en une aventure périlleuse. Le charmant visage de Manon était tendu. Claire retint son souffle jusqu'à ce qu'elle se trouve en sécurité de l'autre côté.

Ce n'était pas la première fois que surgissait cette soudaine curiosité pour un drame enfantin. Ces derniers temps, il arrivait à Claire d'observer des tout-petits avec une attention inhabituelle. Était-ce le signe qu'elle désirait un enfant ? Adrian avait une fille de quatorze ans, Melissa, de son précédent mariage. Dès les premiers jours, il lui avait dit qu'il ne voulait pas d'autre enfant : « J'aurai cinquante ans dans deux ans. Je suis trop vieux et trop attaché à mes vieilles habitudes pour me lancer encore une fois dans des histoires de couches. » Elle avait accepté sa décision et s'était plutôt occupée de conquérir Melissa pendant ses fréquentes visites chez son père.

Il lui avait fallu des mois pour l'apprivoiser. Cela aurait pu durer des années si elle ne s'était pas servie de son appareil photo pour la séduire. Quelle jeune fille aurait résisté à ce bombardement de portraits flatteurs, dont plusieurs avaient été pris à son insu ? Elles étaient presque amies maintenant. Melissa lui avait même transmis un jour les compliments de sa mère pour quelques photos particulièrement réussies dont elle aurait souhaité posséder un tirage.

Pamela Porter, la mère de Melissa, était la femme séduisante et parfaite, à en juger par son émission quotidienne à la télévision, que Claire ne pouvait pas manquer de regarder de temps à autre quand elle travaillait à la maison. Elle appelait ça sa pause Pamela. En sirotant son café, elle observait Pamela charmer ses invités et se demandait comment Adrian, cet homme si sobre et si studieux, avait pu un jour être marié à une femme aussi extravagante. « Elle n'était pas comme ça avant de travailler à la télé », s'était contenté de répondre Adrian quand elle avait posé la question. Claire savait cependant que, en dépit de l'indifférence d'Adrian pour la nouvelle Pamela, il subsisterait toujours entre eux un rapport privilégié à cause de leur enfant. La seule existence de Melissa créait un lien entre Pamela et Adrian qui n'existerait jamais avec Claire.

Au début, elle ne s'était pas trop inquiétée du refus d'Adrian. Contrairement à certaines de ses amies, Claire n'était pas hantée par l'idée que chaque jour qui passait diminuait ses chances de connaître les joies de la maternité. Vivre c'était choisir, et elle ne regrettait aucun des choix qu'elle avait faits.

Claire n'était plus convaincue de la sagesse de ses décisions. Elle s'interrogeait sur le refus d'Adrian d'avoir un enfant, ainsi que sur ses propres sentiments. Il fallait faire la part des choses, distinguer les désirs d'Adrian des siens. Cette fascination nouvelle pour les enfants était significative. Elle se contentait auparavant d'observer parents et enfants avec une curiosité distante. Aujourd'hui, elle se comportait comme une couventine doutant de sa capacité de bien assumer un jour son rôle d'adulte.

Claire était trop tôt sortie de son enfance. Elle en avait été éjectée brutalement le jour de la mort de Dolly, victime d'un accident de voiture quelques mois après son retour de Paris. C'était un soir de tempête de neige à Montréal. À quelques rues de la maison seulement, un autobus de la ville avait dérapé sur une plaque de glace avant de frapper la voiture de Dolly, qui arrivait dans l'autre sens, et de l'envoyer s'écraser contre un arbre. Le policier qui était venu leur annoncer la nouvelle à la maison avait dessiné sur une feuille la trajectoire des deux véhicules avant la collision fatale. L'heure exacte de l'accident était figée sur le cadran éclaté du tableau de bord.

Les jours suivants, Claire avait cherché à se remémorer tous ses gestes à l'heure précise de la collision. Il lui paraissait essentiel de savoir ce qu'elle faisait à ce moment-là. D'après son souvenir, elle était dans la cuisine en train de faire tremper dans un bol de lait la manche d'une blouse tachée d'encre, comme elle avait vu faire sa mère. Elle observait avec fascination la disparition progressive de la tache à chaque nouvelle immersion dans le liquide. Dans la pièce d'à côté, son père écoutait les nouvelles. C'était une soirée ordinaire, tranquille, qui ne laissait rien présager de grave. La juxtaposition des images était troublante, ou était-ce cette terrible vérité qu'elle dévoilait ? Que des êtres pouvaient souffrir et mourir pendant que d'autres, même les plus proches, écoutaient la radio, rêvassaient et se demandaient ce qu'ils allaient manger pour dîner.

Pendant des années, Claire s'était souvenue de l'adolescente qu'elle était alors, assise bien au chaud dans la cuisine silencieuse et impeccable, à l'abri de la tempête qui faisait rage dehors, ses idées aussi pures de chagrin que la manche de la chemise était débarrassée de sa tache d'encre. Claire évitait de penser à Dolly, préférant la reléguer dans un coin obscur de sa mémoire où elle ne pénétrait que par inadvertance.

Mais c'en était fini du bannissement de Dolly. Poussée par la crainte d'avoir hérité d'un trait de caractère de sa mère, Claire se retrouvait à Paris sur la scène du crime. Ici, dans cette ville magnifique tant aimée, quelque chose avait tué l'esprit de Dolly bien avant qu'un autobus emballé n'écrase son corps dans une rue glacée de Montréal. Claire en était persuadée.

En se levant, elle fit un effort pour chasser cette pensée morbide. Elle se retourna vers les deux hommes.

— J'y vais, dit-elle. Prêts ou pas, il faudra bien qu'ils me servent. Sinon, je fais une scène dont ils se souviendront.

— Attention ! quand Claire a faim… dit Adrian en lui emboîtant le pas, on ne sait pas ce qui peut arriver !

Marcel hésitait encore, mais Adrian réussit à le faire se lever et il les suivit docilement.

Chapitre 3

LA TABLE ÉTAIT PRÊTE AU *PAVILLON DU LAC,* ce restaurant situé dans un charmant édifice Art déco blanc dont les grandes fenêtres donnaient sur le lac. Après qu'ils eurent pris les commandes, les serveurs entreprirent un gracieux va-et-vient au service du rituel de la table. Chaque plat arrivait de la cuisine, discrètement emprisonné sous une cloche d'argent ou de porcelaine, sur son lit de verdure, en attendant d'être révélé par les garçons de table de manière spectaculaire dans une sorte de danse épicurienne des sept voiles.

Ils commencèrent par un simple mais non moins succulent melon de Cavaillon noyé de porto, puis on leur servit un bar au fenouil dans une dentelle de pâte feuilletée, lequel fut suivi d'un aspic de foie d'oie truffé, puis d'aiguillettes d'agneau sur un lit de chanterelles, enfin d'un brie de Meaux, et, pour couronner le tout, de fines crêpes fourrées de fraises sauvages. Claire était ravie. Les petites portions évoquaient les *tea parties* de son enfance. Cela avait l'avantage de la mettre à l'abri des effets pervers de l'excès, en dépit du menu chargé.

Marcel mangeait tout en continuant à exposer ses théories, chacune des deux activités générant son extase sur le visage rubicond. Claire se mit à réfléchir à son inimitié pour cet homme. Il était venu les retrouver à l'aéroport à leur arrivée et elle avait l'impression qu'il ne les avait pas lâchés depuis. Il s'était amené avec une revue d'histoire de l'art montrant une photo d'Adrian (prise par Claire) en page couverture et, à l'intérieur, un article fort élogieux de Marcel sur ses travaux. Pendant le long trajet en taxi, il s'était adressé uniquement à Adrian. Par la suite, chaque fois qu'ils se retrouvaient au café, Marcel ne cessait de vanter les travaux d'Adrian auprès de tous ceux qui passaient par là, mais omettait systématiquement de leur présenter Claire. Adrian essaya de la persuader que ce n'était pas de la grossièreté, mais une sorte d'inaptitude avec les femmes. L'admiration inconditionnelle que lui portait Marcel contribuait certainement à cette tolérance devant ses écarts de conduite. Quand ils étaient en groupe et qu'Adrian tenait le haut du pavé, Marcel ne pouvait s'empêcher, à l'occasion, de chuchoter à l'oreille de Claire : « Quel bel homme. Il a vraiment le profil romain. » Marcel avait parfois l'air ahuri de voir Adrian choisir de ramener Claire à la maison plutôt que lui. Sa complaisance devant l'adoration servile de Marcel n'arrangeait évidemment pas les choses.

Claire n'arrivait pas à savoir ce qu'elle détestait le plus, que Marcel l'ignore complètement ou qu'il fasse en de rares occasions un effort pour lui parler, en général de photographie, déployant comme toujours une étonnante érudition. Dans ces moments, elle le soupçonnait de ne tenir compte d'elle que pour plaire à Adrian, comme si, en lui accordant un peu d'attention, il désamorçait un mouvement d'humeur susceptible de détourner l'attention d'Adrian de ses propres paroles.

Elle avait d'abord pensé qu'il était snob, puis elle l'avait vu en action, aussi généreux de son érudition et de son intelligence avec les chauffeurs de taxi ou de bus, les garçons de table, la fleuriste dans sa boutique, le concierge et les clients réguliers du café où il donnait tous ses rendez-vous puisqu'il était impossible d'accueillir des visiteurs dans son appartement trop encombré de livres. Claire semblait la seule à ne pas l'apprécier. Dans une société où l'on valorise autant la joute oratoire que le jeu de jambes au foot, les prouesses de Marcel étaient généralement reçues avec chaleur et respect.

Zoé, la meilleure amie de Claire depuis l'époque de ses études à Paris, attribuait le comportement de Marcel à de l'angoisse ou à de la maladresse plutôt qu'à une véritable hostilité. Zoé était psychanalyste et Claire n'avait aucune raison de mettre en doute son jugement. Et puis, à quarante-cinq ans, cet homme corpulent et peu soigné était toujours affecté de maux divers. Depuis leur arrivée, il avait eu la grippe, la joue enflée par un abcès à une dent, une attaque de goutte qui l'avait contraint à boitiller, sans compter les crises d'asthme qui le forçaient à traîner partout un inhalateur. Il ne supportait aucune de ces afflictions avec stoïcisme et cherchait en général le soutien de ses amis, de ses étudiants, de son ex-femme, tous engagés à défendre la cause de l'allégement des souffrances de monsieur le malade.

En portant la dernière cuiller de l'excellent dessert à sa bouche, Claire choisit de donner raison à Zoé. En regardant Marcel qui essayait d'équilibrer sa passion entre parole et nourriture en ponctuant chaque bouchée ou chaque bon mot d'un sourire de satisfaction enfantin, elle reconnut qu'il était assez comique. Elle aussi, d'ailleurs, qui jouait l'épouse jalouse, un rôle qu'elle serait incapable de tenir très longtemps. La bonne chère et le bon vin lui firent voir les choses d'un œil plus serein. Quand Marcel proposa une balade au parc d'Ermenonville le week-end suivant, elle n'offrit aucune résistance.

— Les jardins d'Ermenonville ont été inspirés par Rousseau, précisa-t-il. Je serai chez des amis, pas très loin de là. Venez dimanche. On déjeunera tôt et on pourra visiter les jardins l'après-midi. Je me charge de tout.

Adrian, qui sentait Claire mieux disposée, lui serra discrètement la main sous la table, comme pour lui signifier qu'ils étaient ensemble, tous les deux, quoi qu'il arrive. Claire l'observa à la dérobée, notant au passage que le vin et la conclusion du monologue de Marcel lui donnaient un air légèrement sonné. Elle sentit monter une bouffée de tendresse pour cet homme. Quel bonheur qu'ils se soient rencontrés !

Un coup de chance du destin les avait réunis et ils se plaisaient à croire que toutes les bonnes choses qui leur arrivaient étaient liées à cette rencontre. On avait demandé à Claire de photographier Adrian Arensberg pour la couverture de son dernier livre, *L'Œil itinérant – l'esthétique du paysage.* Cet ouvrage éclectique dans son ambition et assez érudit devint l'un des rares livres destinés à un public spécialisé qui réussit à sauter la barrière séparant une respectable confidentialité de la célébrité. Cela, évidemment, entraîna des ventes spectaculaires.

Adrian répétait souvent que sa rencontre avec Claire était la meilleure chose qui lui soit arrivée. Claire, à force d'échecs et d'attentes, avait renoncé à se voir dans la peau d'une femme mariée. Elle avait accueilli l'ardeur d'Adrian avec prudence et s'était méfiée de l'intensité de leurs sentiments — elle était déjà passée par là — jusqu'à ce qu'ils éprouvent l'un pour l'autre une véritable affection. Lentement, elle avait appris à compter sur son équilibre et à accepter sa générosité. L'indulgence dans son regard la comblait de joie. Elle lui pardonnait ses distractions qu'elle attribuait à sa passion pour son travail, le même genre de passion qu'il lui témoignait, ainsi qu'à Melissa, quand il oubliait le travail.

Peu de temps après l'avoir connue, Adrian l'emmena dans une réception donnée en l'honneur d'un historien de l'art italien renommé invité à donner une conférence à l'université. Il lui avait dit de ne pas s'attendre à autre chose qu'à une soirée ennuyeuse entre collègues de la fac à laquelle il était obligé dc s'astreindre puisqu'il était responsable de l'invitation du savant homme. À leur arrivée, l'invité d'honneur se trouvait au centre de la pièce, au milieu d'un cercle constitué des membres du corps professoral et de quelques étudiants. Claire et Adrian s'étaient approchés du groupe et les admirateurs s'étaient écartés comme dans une ronde enfantine. Le pauvre Italien, livré aux regards de ses admirateurs, tenait une cigarette à la main, inconscient du danger qu'il courait dans cet environnement antitabac qui ne tolérait pas même un cendrier. L'homme semblait un peu déconcerté par leur réaction.

Adrian avait alors fait cette chose remarquable. Même s'il ne fumait pas et n'appréciait pas se trouver avec des fumeurs, il s'était approché de son invité pour lui demander une cigarette. Puis il l'avait entraîné vers la terrasse de la salle de réception. Claire était restée à l'intérieur, où les conversations avaient vite repris leur cours. En observant les deux hommes, elle s'était dit qu'elle n'avait jamais rencontré personne sachant manifester autant de tact et de délicatesse. Comment aurait-elle pu résister ?

Après le déjeuner, ils décidèrent de marcher jusqu'au musée Gustave-Moreau, un des lieux de prédilection d'Adrian. Bien sûr, Marcel les accompagnerait.

Ils marchèrent lentement dans un lacis de ruelles étroites devant des boutiques aux volets tirés et des cafés bondés. Dans ce quartier, on respectait encore la pause du midi. Adrian attira leur attention sur un portail orné, au coin d'une venelle médiévale qui en atténuait le caractère austère. Les portes s'entrouvraient sur un lieu paisible, presque rural, où des peupliers s'élançaient en bordure de petits sentiers de terre au-dessus de pierres tombales savamment taillées et disposées en rangs serrés. Ce genre d'endroit l'attirait immanquablement. Chaque fois qu'elle se trouvait à l'étranger, Claire recherchait ces modestes enclaves de sérénité, îlots discrets de résistance au milieu du tourbillon d'énergie des grandes cités. Elle sortit un des deux

Minox qu'elle gardait toujours au fond de son sac. Avant même d'avoir pu faire la mise au point, elle entendit quelqu'un crier :

— Arrêtez, arrêtez ! Pas de photos, s'il vous plaît ! C'est défendu.

Un petit homme rond, la serviette de table encore coincée dans le col de sa chemise, arrivait en courant en agitant les bras dans la crainte de ne pas s'être fait entendre.

— Je ne vois pas de panneau d'interdiction, lui répondit Claire, habituée à ce genre de situation.

— Mais oui, mademoiselle, juste là, dit-il d'un ton enjoué en pointant du doigt une affichette imprimée sur la loge du gardien. Permettez... ajouta-t-il en s'inclinant poliment avant de disparaître à l'intérieur.

— Laisse tomber, Claire, dit Adrian. Je suis sûr qu'il ne raconte pas d'histoire. Les Français ont des milliers de règlements qui interdisent des milliers de choses dans les endroits publics. Il n'a pas besoin d'en inventer un nouveau rien que pour toi.

Claire voulait absolument voir l'interdiction écrite. Elle déchiffra l'interminable liste des choses défendues à l'intérieur des limites du cimetière jusqu'à ce qu'elle tombe enfin sur l'article relatif à son activité prétendument illicite. Le gardien était ressorti de sa loge, fier dans son uniforme somptueusement décoré de galons d'or et de boutons de cuivre.

— Vous avez trouvé ? demanda-t-il à Claire, un pli encourageant aux lèvres qui se transforma en sourire lumineux à son hochement de tête affirmatif.

Claire lui renvoya son sourire. Plus jeune, elle aurait été indignée de constater que l'exercice de l'autorité puisse induire une telle satisfaction, mais aujourd'hui elle ne voulait voir que les jolies tombes bien entretenues et la fierté du concierge devant le devoir accompli. Elle l'imaginait en train de retirer sa veste rutilante avant de traverser la rue pour s'asseoir à sa table habituelle, près de la fenêtre d'où il pouvait surveiller son domaine et voir des étrangers pénétrer dans son territoire. Sans hésiter, cet homme avait abandonné son repas pour se précipiter au poste. Si Claire éprouvait quoi que ce soit, cela ressemblait à un vague sentiment de culpabilité. Elle avait manqué de considération pour un homme qu'elle était venue déranger à un très mauvais moment.

— Si tu veux, proposa Marcel après que l'homme les eut chassés non sans un « À votre service » très poli, je peux essayer d'obtenir une autorisation. Ça ne devrait pas prendre plus d'une semaine.

— Merci Marcel, mais ce n'est pas la peine. Ce n'était qu'un caprice.

Marcel avait une fois de plus trouvé une occasion de se faire valoir auprès d'Adrian, se dit-elle. Si elle acceptait, cela lui gâcherait le plaisir d'être en colère contre lui la prochaine fois.

Ils continuèrent à marcher en silence et la douce torpeur de l'après-midi ralentit leur cadence dans la montée de la rue de La Rochefoucauld.

— On y est ! annonça Adrian devant un très bel hôtel particulier en pierres de taille grises assez semblable aux immeubles voisins dans la pente douce de la rue.

Il leur expliqua que Gustave Moreau, le grand peintre symboliste français, avait vécu là, d'abord avec ses parents, puis seul jusqu'à sa mort en 1898. Le musée était désert et ils purent explorer en paix les vastes salles et l'atelier au plafond si haut rempli des œuvres de l'artiste.

Claire ne savait pas se perdre, comme Adrian, dans la contemplation d'une seule œuvre et très vite elle s'en fut de son côté. Elle grimpa dans l'escalier en spirale jusqu'à l'atelier où se trouvaient déjà une femme d'à peu près son âge et un enfant.

Claire se reposa un moment sur une banquette de cuir au milieu de la pièce. Droit devant, une immense toile l'écrasait, un peu comme si elle s'était assise trop près de l'écran dans une salle de cinéma. Deux anges armés se dressaient dans un ciel bleu glacé au-dessus d'une ville damnée qui était la proie des flammes. Elle déchiffra le nom du tableau : *Les Anges de Sodome.*

Fallait-il toujours associer les villes à la corruption ou était-ce la manière particulière des anges de vivre une crise d'angoisse ? se demanda-t-elle en contemplant la toile. Elle devenait experte dans le décodage du syndrome. Un claquement persistant interrompit ses pensées. Elle se tourna pour identifier la source du bruit et vit l'enfant — une petite fille — qui, à l'aide de sa mère, tournait sur une sorte de carrousel des cadres métalliques qui contenaient des dessins. L'enfant semblait plus intéressée par le mécanisme du présentoir et par l'entrechoquement des cadres que par les dessins tandis que sa mère essayait d'étouffer le bruit en retenant le mouvement de la petite, à qui elle s'adressait d'une voix douce et patiente.

Claire n'entendait pas ce que disait la mère, mais la scène était familière. Elle avait souvent accompagné Dolly au musée les dimanches et les jours de fête. Pendant que Dolly visitait l'exposition, Claire s'amusait calmement à son gré. Les gardiens, qui trouvaient le temps long, étaient souvent ses alliés. Elle se souvenait très bien du jour où l'un d'eux lui avait offert un bonbon. Claire détestait quand Dolly essayait de lui faire découvrir la magie d'une œuvre. Cela finissait toujours par la frustrer. Dolly décrivait cette œuvre avec passion, ce qui ne faisait qu'accroître sa résistance et augmenter son malaise.

— Tu veux voir ce qu'il y a dans mon sac ?

Debout devant Claire, la gamine attendait, son petit sac de cuir grand ouvert. Avant que Claire n'ait eu le temps de réagir, la mère entraîna sa fille plus loin.

— Il ne faut pas déranger les gens, dit-elle d'un ton plein de reproche. Ils sont ici pour voir les peintures, pas pour bavarder avec de vilaines petites filles.

Claire aurait voulu dire à cette femme qu'elle était beaucoup plus intéressée à l'enfant qu'aux tableaux, mais l'arrivée d'Adrian l'en empêcha.

Elle savait qu'Adrian l'avait vue parler à la petite. Ses lèvres pincées montraient bien que la scène le mettait mal à l'aise. Elle aurait pu le rassurer en lui disant qu'elle était plongée dans des souvenirs qui n'avaient rien à voir avec le présent, mais elle choisit de se taire. Il pouvait penser ce qu'il voulait, par exemple qu'elle ruminait une fois de plus le « dossier bébé », comme il l'appelait. Cela lui ferait même plaisir qu'il le pense. Claire commençait à comprendre que même le meilleur des mariages produit sa moisson de fruits amers.

Chapitre 4

LE LENDEMAIN, Claire se rendit chez Marta, l'amie d'enfance de Dolly. Marta était de toutes les histoires de Dolly. Celle de la visite-surprise de Marta, venue prêter main-forte à Dolly tout de suite après l'accouchement, était sa préférée. Au pied du berceau, Marta lui était apparue comme la bonne fée qui l'avait emmaillotée dans ses premiers atours parisiens.

En réalité, Marta Berkman était une femme intimidante et bourrue. Claire avait souvent dû supporter ses redoutables dîners dominicaux à l'époque où elle était étudiante à Paris. Marta en profitait toujours pour passer des commentaires qui la faisaient rougir. Le plus souvent, elle lui reprochait d'avoir les cheveux trop longs et mal coiffés ou encore d'être passive et paresseuse dans sa manière de découvrir Paris. Bruno, le mari de Marta, prenait systématiquement la défense de Claire avant qu'elle ne se mette à pleurer. Marta était toujours aussi difficile, toujours aussi imprévisible, mais elle ne l'intimidait plus. Marta l'aimait pour ce qu'elle était et parce qu'elle était la fille de Dolly. Elles s'appréciaient mutuellement, ce qui aurait été impensable quand Claire était plus jeune et moins sûre d'elle.

Claire comptait sur Marta pour l'aider à résoudre le mystère de la métamorphose tragique de sa mère. Jusqu'à présent, elle n'avait rien appris de nouveau. Malgré tous ses efforts, Marta arrivait toujours à détourner la conversation pour ne pas répondre à ses questions.

Et puis, elle avait d'autres chats à fouetter. Bruno était mort il y a huit ans et avec Henri, son nouvel amant, les choses n'allaient pas très bien. Il aurait voulu que Marta emménage chez lui, mais elle refusait de quitter son appartement. De plus, elle était en guerre contre le percepteur d'impôts qui l'accusait d'avoir caché des revenus de traduction pour une agence de publicité américaine. Et quand elle avait épuisé le sujet, Marta s'inquiétait de son petit-fils Antoine, qui n'avait aucun projet d'avenir. C'était évidemment la faute de sa fille et de son gendre qui ne savaient pas le guider convenablement.

Devant tous ces soucis, Claire n'avait le choix que de mettre de côté ses questions. Ce n'était pourtant pas dans ses habitudes de se taire ou d'hésiter, mais Marta, plus rouée qu'elle, la mêlait à ses drames et Claire devait toujours attendre le moment propice. Et ce moment ne s'était pas présenté. Il ne se présenterait peut-être jamais, commençait-elle à comprendre, à moins de le provoquer ou de forcer la discussion.

Chez Marta, Claire fut déçue de trouver Henri. Si Marta avait été seule, elle l'aurait obligée à parler de Dolly. Marta semblait impatiente de le voir partir. Claire arrivait sans doute au milieu d'une autre de leurs disputes. Elle connaissait assez bien Marta pour percevoir de l'agitation dans ses gestes distraits et ses yeux gris-vert trop brillants.

— Bonjour, ma chérie, dit Marta en embrassant Claire du bout des lèvres.

Henri, un homme réservé et timide, l'accueillit d'une poignée de main formelle, l'air abattu. Avec son regard contrit et résigné, il ressemblait à un enfant qu'on venait de gronder.

Le téléphone sonna avant que Claire n'ait eu le temps d'évaluer la situation. Elle n'aurait jamais de conversation franche avec Marta si elle ne la sortait pas de la maison. Marta était vraisemblablement au centre d'un cercle de réfugiés politiques et d'exilés encore plus démunis qu'elle devant la vieillesse et la bureaucratie française. Certains n'avaient jamais tout à fait appris la langue, d'autres vivotaient de rentes médiocres et se battaient pour survivre dans une ville où nombre d'étrangers avaient jadis trouvé un refuge plutôt abordable, mais qui, avec le temps, était devenue une des capitales les plus chères du monde. En clair, Marta présidait une sorte d'agence de service social.

— C'est Gertrude, chuchota-t-elle.

Découragée, Claire poussa un soupir. Les conversations avec Gertrude duraient parfois des heures. Cette fois, Marta y mit fin abruptement.

— Ça attendra le prochain coup de fil. Elle n'arrête pas de se plaindre de son mari. Je t'ai dit qu'il souffrait d'Alzheimer? Je ne sais pas comment elle fait. On a été très proches pendant des années, mais je ne peux la voir que de temps en temps. Allez, on ne parle pas des choses tristes. Raconte un peu ce qui t'arrive.

Marta exigeait un rapport quotidien des activités du couple. Elle vivait dans la capitale depuis plus de quarante ans et, malgré l'apparition d'immeubles modernes dans le paysage urbain — « Je préfère les vieilles pierres », avait-elle confié un jour à Claire et Adrian —, sa passion pour Paris restait indéfectible. Selon ses dires, les pauvres malheureux qui n'avaient pas la chance de vivre à Paris et qui y passaient en touristes devaient consacrer le maximum de temps à l'exploration de ses richesses.

— On ne peut pas se contenter du guide et cocher les monuments à voir. Paris, c'est comme un musée. Les us et coutumes au quotidien en disent autant sur son caractère que les plus beaux monuments, répétait-elle souvent.

Claire rapportait consciencieusement ses faits et gestes, tout en s'interrogeant sur l'importance qu'elle accordait encore à l'aval de la vieille dame. Lorsqu'elle évoqua le musée Gustave-Moreau, Marta réagit avec enthousiasme :

— Ton Adrian connaît mieux Paris que la plupart des Parisiens. Henri prétend qu'il n'y a plus rien à voir. Si je l'écoutais, on ne sortirait jamais de la maison.

Claire comprit que Marta n'était pas prête à baisser les bras devant son Henri.

Ce dernier se retourna péniblement sur son fauteuil pour jauger l'humeur de son adversaire.

— Je ne vois pas pourquoi tu dis cela, lança-t-il sans grande conviction.

Henri adorait Marta et admirait l'énergie et la passion avec lesquelles elle embrassait la vie et déployait des efforts pour le faire sortir de sa morne existence de veuf. Il ne comprenait pas ses sautes d'humeur, mais il lui offrait généreusement son flegme afin qu'elle puisse les manifester.

— Enfin, Marta, on s'est baladés toute la matinée.

— N'écoute pas ce que dit cet homme, répondit Marta du tac au tac. J'ai dû le traîner pour qu'il achète une nouvelle veste sport. Il a fallu que je lui dise que je me fichais pas mal de sa garde-robe dans la tombe, mais que tant qu'il était sur terre et vivant il fallait un peu de décorum. De toute façon, on ne peut pas appeler ça une sortie. Maintenant, il dit qu'il doit passer le reste de la journée à se reposer.

— Tu exagères, Marta, répondit Henri sur un ton accommodant.

Il s'extirpa du fauteuil. Il avait fini par apprendre que la meilleure chose à faire dans ce genre de situation était encore de partir. Sa présence ne pouvait qu'attiser la colère de Marta.

— Je vais faire la sieste à la maison et on ira où tu voudras après le déjeuner.

En le voyant enfiler calmement son pardessus en prenant soin de bien rentrer son foulard dans le col, puis se retourner pour embrasser Marta sans manifester la moindre rancune, Claire ne put s'empêcher d'éprouver un peu de pitié pour le pauvre Henri.

Claire était bien placée pour savoir qu'il valait mieux ne pas déplaire à Marta. Comme tous ceux qui faisaient partie du cercle de ses intimes, elle trouvait qu'Henri, cet homme si doux, si bon, si discret, était un pâle substitut au charismatique Bruno, le défunt mari de Marta. Elle eut quand même envie de le défendre :

— Tu es trop dure avec lui, Marta. Il t'adore, commença-t-elle.

— Stop ! Je ne veux rien entendre, répliqua Marta en levant la main comme si on l'attaquait. Je le sais très bien. Je n'arrête pas de me le dire.

Sa colère fit rapidement place aux remords.

— Je sais, je sais. Je suis affreuse, mais je n'y peux rien. Henri a tendance à se chouchouter. Ça m'exaspère ! Ce n'est jamais le bon moment. Il fait toujours trop chaud, trop froid, il y a trop de vent. Où qu'on aille, il y a trop de gens dans les rues, c'est trop bruyant, trop sale. Il n'aime pas aller au restaurant, au cinéma, dans les musées — bref, partout où moi je pourrais avoir envie d'aller. Il veut une chose dans la vie : que je sois à ses côtés quand il lit, quand il regarde la télé et quand il mange ce que j'ai cuisiné. Crois-moi, il y a des moments où je n'en peux plus !

Elle dut s'interrompre pour répondre à un autre appel de Gertrude. Claire fut émerveillée d'entendre que son ton, soudain très calme, s'ajustait à l'humeur de son amie. Après ce coup de fil, la vieille dame reprit la conversation exactement où elle l'avait laissée :

— Je sais très bien que c'est une chance d'avoir Henri. À mon âge, il y a vingt femmes pour un homme disponible. Et elles ont beau sortir, se faire belles, la solitude, ma chère, c'est comme la gravité. Ça tire le corps et l'esprit vers le bas. Quoi qu'en disent les féministes, s'entourer exclusivement de femmes n'a jamais empêché la peau de se rider, et cela n'a rien à voir avec l'âge. Je crains que le monde n'appartienne encore aux hommes. Henri est plutôt riche, ses neurones fonctionnent encore bien, il est assez mobile quand j'arrive à l'arracher du fauteuil. Je serais folle de le lâcher. Que faut-il de plus pour en faire un beau parti, comme on dit ?

Claire s'esclaffa, et Marta avec elle. Cette femme avait décidément beaucoup d'esprit.

— C'est bon de te savoir ici, Claire. J'ai besoin de parler à quelqu'un.

Être la confidente de Marta était un privilège rare. Claire aimait bien l'écouter raconter des histoires. La densité et la complexité des liens familiaux, ceux des autres bien entendu, l'avaient toujours fascinée, les siens étant si ténus, si usés. Avec Adrian, elle avait gagné le gros lot. Le mariage lui avait permis d'être témoin d'une chaîne d'événements familiaux, chacun étant systématiquement répertorié et analysé au cours d'interminables conversations téléphoniques entre les sœurs, les tantes, les cousins, les neveux et les nièces d'Adrian. Claire accueillait ces légendes familiales avec la curiosité d'un anthropologue parachuté au milieu d'une tribu inconnue, mais elle n'ignorait pas qu'en dépit de leurs efforts pour l'accueillir au sein du groupe elle resterait à jamais une étrangère.

— Henri veut absolument que j'emménage avec lui, poursuivit Marta, soudain calmée. Je n'y arriverai pas. C'est bien d'avoir un homme pour aller au restaurant ou au concert, même si ça demande un effort pour le tirer de chez lui, mais je suis toujours heureuse de me retrouver dans mon appartement. J'ai besoin de ma dose quotidienne de solitude. Est-ce si bizarre qu'Henri le prétend ? Il dit que je suis égoïste et insensible. Il a peut-être raison. Je ne mesurais pas ma chance quand je vivais avec Bruno. Il me laissait libre, peut-être un peu trop d'ailleurs. Le mariage n'est jamais qu'un coup de dés, n'est-ce pas ? Une approximation de la réponse juste qui, aussi souvent qu'autrement, tombe à côté, comme tu l'as sans doute toi-même déjà découvert. Mon Dieu, il y a des jours où Bruno me manque cruellement.

Marta se tut et Claire vint s'asseoir à ses côtés pour admirer les ombres du couchant sur le mur du living. La pièce n'avait guère changé depuis la première fois qu'elle y était entrée, des années plus tôt. Le canapé et les fauteuils de velours brun s'étaient affaissés, sans doute victimes eux aussi de la gravité. Les tissages et les broderies, souvenirs des nombreux voyages de Bruno et de Marta, s'étaient fanés là où les rideaux de mousseline blanche n'avaient pas su retenir la lumière. Les étagères des bibliothèques vitrées croulaient un peu plus sous les livres, photos de famille et autres traces du passé. Il ne manquait que Bruno. Son fauteuil préféré, là où il avait l'habitude de lire *Le Monde* et de fumer pendant que Claire et Marta bavardaient, conservait l'empreinte de son corps.

— Tu sais, tout n'était pas si rose avec Bruno, reprit Marta. Les hommes qui vouent leur existence à une cause ont peu de temps pour leurs proches. Il me manque, bien sûr, mais je suis lucide. N'empêche qu'il y a des jours où je trouve Henri insupportable, surtout quand il dit des sottises du genre que Paris est envahi par les étrangers et qu'ils sont responsables de ses ennuis financiers. Si je vivais avec quelqu'un comme Henri, un homme bien mais plein de préjugés comme tous ceux de sa classe sociale, j'aurais l'impression de trahir ce contre quoi Bruno s'est battu.

La première fois qu'elle avait rencontré Bruno Berkman, Claire n'avait rien senti qui aurait pu lui faire mesurer l'importance de son engagement politique. C'était un homme mince, plutôt discret, qui ne parlait jamais du passé. Pourtant, comme Dolly lui avait souvent dit, ce que confirmerait plus tard Marta, sous cette apparente fragilité se cachait une formidable détermination. Malgré sa frêle constitution, Bruno avait survécu à des grèves très dures, à de longues périodes de réclusion et à des missions dangereuses dans la Résistance. Ces années de militantisme étaient loin et il avait dû réduire ses activités pour des raisons de santé, mais cela n'avait pas altéré la force de ses convictions. Il avait continué à s'insurger avec véhémence contre les injustices de l'heure dans les colonnes du petit journal de gauche dont il fut l'éditeur et l'imprimeur jusqu'à sa mort.

Il fit quelques rares apparitions publiques en dépit du fait que Marta défendait farouchement son homme contre les demandes incessantes de ses anciens camarades, et sa voix teintée d'un léger accent d'Europe de l'Est ne cessa jamais d'électriser ses partisans. On comprenait alors qu'il ait réussi à séduire les foules et à entraîner des hommes à le suivre malgré les dangers. Pendant une manifestation du 1er Mai, Claire avait été stupéfaite par cette voix méconnaissable à cause des distorsions du mégaphone. Bruno aurait pu faire faire aux gens à peu près tout ce qu'il voulait.

Pour Claire, Bruno éprouvait de la tendresse et de l'affection. Elle-même avait été séduite dès le premier jour, plus encore que par Marta. En Bruno, elle sentait un véritable allié, ce qui ne venait pas sans un brin de culpabilité quand elle pensait à son père, cet homme généreux et prévenant. Mais depuis la mort de Dolly, une sorte de gêne s'était installée entre eux. Son père semblait fuir ses questions. Ils choisirent très vite de ne plus parler de Dolly, comme si la douleur était encore trop vive pour être nommée. À force d'esquiver l'essentiel, ils finirent par ne plus avoir que des conversations superficielles, qu'ils abandonnèrent un jour avec soulagement. Claire est partie passer un an à Paris et ensuite s'inscrivit dans une université loin de

Montréal. Son père se remaria pendant son absence et emménagea à Victoria. Son père l'aimait, à sa manière gauche et distante, et Claire le savait. Sa nouvelle épouse lui avait d'ailleurs confié qu'il gardait un album de tous ses travaux. Elle se sentait pourtant orpheline. Elle s'était tout naturellement abandonnée à la chaleur que Bruno et même Marta lui avaient prodiguée. À elle, la fille de leur très chère amie.

Leurs retrouvailles la rapprochaient chaque fois de Dolly et leur affection la plongeait au cœur du cercle intime de la relation privilégiée qui les avait unis tous les trois. De cette intimité, son père avait toujours été exclu. On ne lui avait rien dit ouvertement, mais Claire savait qu'à bien des égards Dolly s'était sentie plus proche de Marta et de Bruno que de son propre mari. Elle venait souvent les voir à Paris et en revenait fébrile et heureuse, ce qu'elle ne devait pas uniquement aux trésors des musées de Paris. Il était aisé d'en parler dans cette pièce où les jeunes visages des trois amis souriaient sur les photos, tout près de Claire, et où l'écho de leurs conversations animées se réverbéraient encore sur les murs.

À l'évocation de ces souvenirs, Claire se rappela la raison de sa visite :

— J'ai besoin de ton aide, Marta, dit-elle en s'approchant un peu plus de la vieille dame.

Marta lui lança un regard plein de bienveillance.

— Tout ce que tu veux, ma chérie. Qu'est-ce qui te tracasse ?

— Je voudrais que tu me parles du dernier séjour de Dolly à Paris. Tout ce qui te vient à l'esprit.

— Mais mon Dieu, pourquoi t'intéresses-tu à cela ?

Claire ne voulait pas lui dire pour ses crises de panique et leur effet pervers sur son travail. La généreuse Marta répondait au quart de tour à ses amis qui réclamaient de l'aide pour un problème pratique, mais elle ne valait pas un clou pour les défaillances de l'âme, « un défaut de caractère que seule une bonne discipline peut dompter », disait-elle. « C'est une préfreudienne, disait Zoé, un genre assez répandu chez les anciens révolutionnaires. » Entre les efforts de son agent Lucinda et l'attitude hautaine de Marta, Claire préférait la dernière. « Il faut que tu saches pourquoi tu as ces crises de panique », répétait Lucinda avec une régularité irritante, inspirée sans doute par cette sagesse nouvelle acquise dans son ashram. « C'est nous qui choisissons ce qui nous arrive », ajoutait-elle. Claire lui ordonna un jour de se taire, mais le silence de Lucinda ne dura pas. Elle recommença à la harceler et la réaction de Claire ne se fit pas attendre. « Tu es comme les Témoins de Jéhovah ! L'abus renforce ta foi. » Le rire les rapprocha, mais Claire fut soulagée de savoir qu'elle serait loin de Lucinda pendant un certain temps.

Devant l'air consterné de Marta, Claire s'empressa de poursuivre.

— J'ai l'impression qu'il est arrivé quelque chose à Dolly pendant ce voyage. Quelque chose de terrible qui l'a tellement affectée qu'elle n'a jamais pu reprendre la sculpture. Et tu sais combien elle était passionnée par son art.

Marta hésita à son tour. Claire allait reformuler sa question quand elle lui répondit :

— Je ne crois pas qu'il s'agisse d'un événement tragique, comme tu le suggères. Elle ne s'est peut-être pas remise au travail, mais c'était arrivé déjà, tu sais. Tout de suite après ta naissance, par exemple. Elle était mariée depuis quelques années et ta venue au monde l'a comblée de joie. Elle parlait du bonheur tranquille de la maternité dans une de ses lettres. Ça m'est resté parce que, à la naissance de ma fille, j'éprouvais plutôt un grand soulagement, celui d'être enfin une personne distincte, entière, contente que tout le chamboulement de la grossesse et de l'accouchement soit enfin derrière moi. Mais Dolly a toujours été sensuelle. C'est ce qui la rendait si séduisante. Au fond, ce que j'essaie de te dire, c'est que, s'il n'y avait pas eu ce foutu autobus, elle serait retournée à l'atelier.

Claire comprit que Marta n'avait plus rien à dire, mais la réponse lui semblait insuffisante.

— Tu as peut-être raison. On ne saura jamais, n'est-ce pas ? Mais il y avait plus que ça. Je me rappelle sa tristesse, on aurait dit qu'elle vivait une perte incommensurable. Je n'étais qu'une enfant, mais je me rendais bien compte qu'elle changeait. Comme si quelque chose, en elle, était mort.

La tension montait. Marta commençait à s'impatienter.

— C'est affreux de croire ça ! J'ai eu assez de mal à accepter la mort de Dolly, mais c'est sacrilège de dire qu'elle était déjà morte avant de mourir ! Tu es sa fille et tu as le devoir de ne pas déshonorer sa mémoire. C'était surtout une artiste de grand talent et pas la pauvre malheureuse tourmentée que tu viens de me décrire. N'oublie pas que je l'ai connue bien plus que tu ne l'as connue toi-même. Rien ne pouvait retenir sa force créatrice. Pas même toi !

Marta se leva d'un bond et se mit à ranger dans la pièce. Les journaux à la main, elle se retourna soudain et lança à Claire un regard chargé de reproche.

— Et pourquoi cet intérêt soudain pour son travail ? Ni toi ni ton père n'avez jamais su à quel point Dolly était une grande artiste. En réalité, tu lui en voulais du temps qu'elle consacrait à son art. Alors pourquoi maintenant ?

Claire fut surprise par la violence de l'attaque.

— Je n'étais qu'une enfant, répéta-t-elle, mais Marta l'interrompit aussitôt.

— Oui, et tu te comportes encore comme une gamine. Tes soi-disant doutes ne sont que le fruit de l'imagination délirante d'une enfant unique trop gâtée. Et je trouve indécente cette façon que tu as d'énoncer des hypothèses en l'absence de la personne concernée.

Claire avait rarement vu Marta aussi en colère. Sa résistance indiquait toutefois qu'elle était sur la bonne voie.

— Ce n'est pas trahir que de vouloir savoir ce qui est arrivé à une personne qu'on aime, dit-elle doucement.

Il ne fallait pas que Marta s'arrête de parler.

— Je suis sûre que tu me comprends, ajouta-t-elle.

— Oh oui, je te comprends ! rétorqua Marta d'une voix dure. Dolly était ta mère, mais aussi une personne à part entière. S'il lui est arrivé quelque chose, comme tu le prétends, cela lui appartient. Nul n'a le droit de tout savoir sur quelqu'un, malgré tout l'amour et toute l'inquiétude qu'on ressent pour la personne. C'est une curiosité qui sied aux amants. Autrement, c'est indécent.

Claire était ébranlée. À son grand désarroi, elle sentit les larmes gonfler ses paupières.

— Alors, tu dis que je n'ai pas le droit de chercher à comprendre ce qui est arrivé ?

Marta se radoucit et prit la main de Claire dans la sienne.

— Ma chérie, tu sais à quel point je tiens à toi. Je me sens souvent plus près de toi que de ma propre fille. Tu es tout ce qu'il me reste de Dolly et c'est elle que je vois quand je te regarde. Je ne veux pas te faire de la peine, mais tu ne dois plus chercher à comprendre le passé de ta mère. La vie est assez compliquée comme ça. Tu as un travail passionnant, il y a Adrian qui, malgré ses recherches qui lui prennent beaucoup de temps, semble tenir à toi. Qu'est-ce qu'il te manque ?

Claire résista à l'envie de se jeter dans les bras de Marta et de lui parler de ses difficultés. Elle savait qu'elle le regretterait plus tard. Les réserves de tendresse de Marta s'épuisaient vite et Claire ne supportait pas ses reproches.

Elle choisit de se taire et Marta y alla de sa propre solution.

— Tu devrais peut-être songer à avoir un enfant avant qu'il ne soit trop tard. Dieu sait que je ne suis pas très maternelle, mais c'est une expérience que je n'aurais voulu manquer pour rien au monde. C'est une façon de se projeter dans l'avenir et il n'y a rien de mieux pour régler ses conflits avec ses parents. Tu ne veux pas finir comme tous ces gens qui n'ont pas eu d'enfant et qui reportent leur affection sur un animal idiot.

Bien visé. Marta connaissait les photos que Claire avait prises de son chat roux. Marta ciblait toujours les parties vulnérables.

— Adrian et moi avons décidé de ne pas avoir d'enfant, répondit Claire, jugeant qu'elle devait bien à Adrian de ne pas révéler leur désaccord.

— Absurde, répliqua Marta en s'échauffant. Très bien pour Adrian qui a déjà une fille, une famille et toute la tendresse qui vient avec, mais pour toi, c'est différent. Tu es pour ainsi dire seule au monde et le temps ne joue pas en ta faveur. Si tu voulais vraiment avoir un enfant, tu arriverais à le convaincre. Quoi qu'ils disent, les hommes sont toujours flattés quand une femme déclare qu'elle voudrait porter leur enfant.

— J'y ai pensé ces derniers temps, admit Claire avec réticence, mais je ne suis pas certaine que ce soit le bon moment.

— Tu sais, dans la vie, tout ne se décide pas toujours de manière rationnelle. Il est parfois plus simple de se laisser porter par les événements. Avant qu'il ne soit trop tard.

Pour Claire, l'après-midi se terminait en queue de poisson. Elle aurait du mal à en obtenir davantage de Marta aujourd'hui.

— Je vais y penser, dit-elle, mais promets-moi de me dire si jamais tu as du nouveau au sujet du séjour de maman à Paris.

En rentrant, Claire se dit que Marta avait au moins raison pour une chose : elle avait trop facilement cédé aux objections rationnelles d'Adrian. Très bien ! Elle ne serait plus docile. Elle se permit même l'indignation à la pensée qu'Adrian était injuste.

Comment osait-il décider de leur avenir sans prendre en considération ses désirs à elle ? L'articulation de son ressentiment lui permit de mieux saisir la nature du problème. Elle ne savait pas vraiment à quel point elle voulait un enfant. Ce désir était parfois aussi violent que celui qu'elle avait déjà éprouvé pour la caresse d'un amant. À d'autres moments, elle était terrifiée à l'idée de bouleverser ses habitudes. Bien sûr, sa vie n'était plus la même depuis qu'elle subissait des crises de panique. Était-ce un mauvais tour que lui jouait son corps ? Et si Lucinda avait raison ? Dans ce cas, qu'est-ce que ça voulait dire ? Était-ce une façon de lâcher le boulot pour permettre la venue d'un enfant ?

« Arrête ! se dit-elle avec fermeté. Tu vas perdre la raison. Rappelle-toi pourquoi tu es ici et concentre-toi sur ta recherche. Tu t'occuperas d'Adrian plus tard, à Montréal. Quelques mois de plus ne changeront rien à l'affaire. »

Jusqu'à ce qu'elle arrive au petit studio qu'ils avaient loué près de la rue Saint-Antoine, Claire ne se soucia plus que de ce qui se passait autour d'elle. Elle se sentit plus légère et comprit une fois de plus que les voyages aiguisent notre façon d'appréhender le monde comme si un simple changement de climat avait le pouvoir d'améliorer soudain la vision.

Chapitre 5

CLAIRE RAPPORTA AVEC PLAISIR à Zoé sa discussion avec Marta. Depuis près de seize ans, en fait depuis qu'elles étaient amies, Zoé écoutait tout ce que Claire pouvait raconter sur Marta. Cette amitié remontait au jour où elle était venue prêter main-forte à Claire qui avait oublié ses clés dans sa chambre. À Paris depuis moins d'une semaine, en sortant de la salle de bains au fond du couloir, Claire s'était rendu compte un matin qu'elle n'avait pas ses clés. Cela ne lui disait rien de descendre chez la concierge vêtue de son seul imperméable, du reste assez court, qui lui tenait lieu de peignoir. C'était risquer de mettre en péril la réputation de ses compatriotes !

Elle avait donc frappé à la porte de sa voisine, une jeune femme d'à peu près son âge, croisée peu de temps après son installation. Elle s'était présentée, les pieds nus, serrée dans son Burberry, les cheveux enroulés dans une serviette, à la porte de Zoé, qui avait immédiatement compris ce qui se passait. Après l'avoir invitée à entrer, elle lui avait offert un bol de café au lait et, surtout, un séchoir. Claire n'avait pas eu le temps d'acheter l'adaptateur qui lui aurait permis d'utiliser le sien. Depuis son arrivée, ses longs cheveux bouclés flottaient, rebelles, sur ses épaules.

Claire qui se débrouillait à Montréal dans un français appris à l'école ne connaissait pas suffisamment la langue pour saisir toutes les nuances du patois estudiantin dont Zoé usait avec une rapidité étonnante. La langue n'avait pas constitué un obstacle et elles s'étaient vite découvert des affinités. L'amitié ne pâtit pas du retour de Claire à Montréal à la fin de l'année scolaire. Elles s'écrivaient peu, s'appelaient souvent et Claire venait rendre visite à Zoé qui, douée pour le traitement des phobies de ses patients, était incapable de monter dans un avion. Elle promettait sans arrêt de s'occuper de sa peur mais, jusqu'à présent, elle avait laissé courir. « Je suis née sans l'esprit d'aventure », disait-elle faiblement pour se justifier. « Tu es un très mauvais exemple pour tes patients, rétorquait Claire en la taquinant, mais cordonnier n'est-il pas toujours mal chaussé ? » Quand Claire se trouvait à Paris, elles renouaient en se confiant tout ce qui s'était passé d'important entre les deux séjours. Claire s'ennuyait de Zoé mais elle savait aussi que cette amitié particulière devait beaucoup au télescopage des récits et émotions que forçait la rareté des rencontres.

Zoé Lagarde était psychanalyste et passait des journées entières à écouter les confidences de ses patients souffrants. Elle ne prisait rien autant que d'être assise au salon avec Claire, chacune calée dans un fauteuil de cuir, comme maintenant, et de l'écouter raconter ses aventures.

— J'ai vraiment une vie ennuyeuse, dit-elle. Il n'y a qu'à voir la manière dont je passe mes journées. Je reçois mes patients, dont je connais les problèmes par cœur, un peu comme le dessin du tapis oriental qu'il y a sous mes pieds, un cadeau de mes parents. Le soir, quand le dernier patient s'en va, je dîne avec la famille, puis je lis, je fais un mot croisé et je me couche. Les dimanches, je vais voir ma mère et, s'il fait beau, on marche dans le Luxembourg. Deux fois par semaine, je joue au tennis avec le même partenaire depuis dix ans. Un soir par semaine, je vais au hammam, où je m'offre un bain de vapeur et un massage pour me détendre. Je me regarde aller dans cet horaire qui ne change jamais et je fantasme comme une écolière sur la vie des autres, même celle, tourmentée, de mes patients. Mais je ne fais rien pour changer la routine. Paresse ? Satisfaction ? Je l'ignore.

Comme dans toute amitié profonde, Claire et Zoé s'admiraient et s'enviaient mutuellement. La vie un peu nomade de Claire semblait merveilleusement exotique aux yeux de Zoé. Elle trouvait extraordinaire que l'on puisse voyager aussi souvent sans en subir des conséquences. De son côté, Claire était à mille lieues de trouver la vie de Zoé ennuyeuse. Ces interminables attentes dans des aéroports qui se ressemblaient tous paraissaient beaucoup plus tristes que la routine quotidienne réglée comme du papier à musique de son amie. Combien de fois, enfermée dans une chambre d'hôtel anonyme, incapable de dormir et esseulée, s'était-elle imaginé Zoé dans son bel appartement de la rue des Beaux-Arts, lui enviant la tranquillité de son existence. Quand Claire le lui disait, Zoé éclatait de rire et ne manquait pas de souligner que ses visites la sortaient de la douce torpeur dans laquelle elle se languissait. En revanche, Claire s'arrangeait pour que ses histoires plaisent à Zoé. Après tout, elle réclamait des aventures excitantes.

Avec sa coupe de cheveux à la garçonne et son corps menu, Zoé ressemblait à un enfant assis les jambes croisées dans un fauteuil trop grand. Claire préféra attendre avant de lui parler de sa discussion avec Marta, mais elle lui rapporta la joute verbale entre les vieux amants, ce qui la mit en joie.

— Ils sont extraordinaires, dit Zoé en se frottant les yeux. Tu te rends compte, à leur âge ? Il y a longtemps qu'on a arrêté de se battre, Simon et moi. Du moins pour l'essentiel. Tu sais, le sexe, l'argent, qui prend la responsabilité de quoi. Évidemment, on trouve parfois l'autre insupportable. En fait, depuis quelque temps, on est plus nerveux, plus irritables tous les deux. Comme si les petites habitudes dont personne n'arrive jamais à se débarrasser se mettaient à nous obséder. Mais il suffit d'un regard, d'un mot, pour remettre les pendules à l'heure. Un soupir peut faire l'affaire. Tu ne peux pas imaginer le poids des soupirs de Simon. Franchement, je ne me rappelle pas notre dernière altercation. Je crois qu'on s'ennuie trop pour se battre.

Il y avait un peu de nostalgie dans sa voix et Claire ne put réprimer un sourire. Certes, Zoé exagérait la monotonie de son existence, mais il n'était pas vain de se demander si elle atteindrait un jour ce degré de résignation avec Adrian. Se connaissant, elle en doutait.

— Regardez qui j'ai rencontré dans l'entrée de l'immeuble, lança Simon en entrant dans la pièce avec Adrian.

Simon, un haut fonctionnaire, était vêtu de l'uniforme de sa profession — complet marine de bonne coupe, chemise rayée et cravate discrète. Adrian, à peine plus âgé que Simon, paraissait beaucoup plus jeune avec sa chemise ouverte et son blouson de cuir noir.

— Je suis arrivé à temps, continua Simon en traversant la pièce pour embrasser les deux femmes. Il allait monter les six étages à pied, ignorant que nous étions les heureux propriétaires d'un nouvel ascenseur. Il est vrai qu'on y est un peu à l'étroit, pas plus de deux personnes à la fois, mais vous n'imaginez pas à quel point cela a changé notre vie. On commençait à craindre le jour où on aurait du mal à grimper tous ces étages, un jour pas si lointain pour moi, faut-il le préciser. D'ailleurs, je propose un toast à ce petit ascenseur qui nous a sauvés de l'inévitable exil de notre quartier bien-aimé.

Sans attendre la réponse, Simon déboucha la bouteille de champagne sortie de son attaché-case.

— Juste à la bonne température, dit-il en remplissant quatre flûtes.

Heureusement pour leur amitié, Claire aimait bien Simon, et Zoé, Adrian. Elles avaient tendance à se plaindre mutuellement de leur mari, mais l'une ne subissait jamais l'influence des critiques de l'autre. Quand Claire voyait Simon, elle ne pensait jamais à ses ronflements, à sa manie de l'ordre, à son absence de spontanéité, à son humeur maussade, à toutes ces choses qui faisaient partie de la liste des récriminations de Zoé. Le Simon qu'elle connaissait était toujours charmant, bien élevé et aussi pétillant que le champagne qu'il prisait tant. De son côté, Zoé se plaisait à répéter qu'elle trouvait Adrian très séduisant. Tout cela sans conséquence, en dehors du plaisir qu'ils avaient d'être ensemble.

Cette soirée ne fut pas différente des autres. Après avoir hésité entre la maison et le restaurant, Simon et Adrian optèrent pour le traiteur du quartier, d'où ils revinrent chargés de quantité de plats.

— Vous voulez ma peau, soupira Zoé d'une voix plaintive, serrant les bras autour de sa taille comme pour l'empêcher d'éclater.

On l'ignora et les jolis paquets furent rapidement déballés. Zoé passait son temps à se plaindre de son poids bien qu'elle n'eût pas un gramme de trop.

— Je suis presque naine! protesta-t-elle. Chaque kilo en trop ajoute à mon tour de taille.

— Oui, chérie, répondit Simon. Contente-toi de goûter et laisse le plaisir de la table aux gens normalement constitués.

— Espèce d'andouille, rétorqua-t-elle, incapable de contenir un fou rire devant l'hilarité générale.

Les hommes se reprochèrent mutuellement leur extravagance, mais prirent individuellement le crédit pour chaque plat qui recevait l'assentiment des convives. Adrian s'amusait et ne se fit pas prier pour raconter la dernière folie de Claire, qui lui avait valu de faire des kilomètres pour trouver une certaine marque de papier hygiénique en solde.

— Vous comprenez, en général, Claire se fiche pas mal des prix. Elle a une vague notion de ce que coûtent les choses, dit-il à l'assemblée amusée, mais elle n'achètera jamais de papier hygiénique à moins qu'il soit en solde, et alors elle s'en procure de telles quantités qu'il est impossible d'ouvrir une armoire sans se prendre des rouleaux sur la tête. Elle a même élaboré une stratégie avec ses copines, et quand le papier n'est vraiment pas cher, elles y vont à plusieurs parce que les soldes sont toujours limités à trois par tête de pipe.

— Mais c'est essentiel, le papier hygiénique, affirma Simon le plus sérieusement du monde, faisant redoubler les rires. La fierté et la carrière peuvent en prendre un sacré coup si on ne fait pas attention à ces petits détails. On en sait quelque chose, n'est-ce pas, Zoé chérie ? Tu veux que je raconte le fameux dîner avec le ministre et son époux ?

Zoé, qui étouffait à force de rire, protesta en vain en agitant la main, mais Simon fit celui qui n'avait rien vu.

— Madame le ministre, après un passage aux W.-C. des invités, ne trouvant pas ce que réclamait une certaine activité, appela discrètement son mari derrière la porte fermée et demanda son sac, où elle conservait à l'évidence, une petite réserve de mouchoirs de papier. En sortant, elle ne jugea pas opportun de nous prévenir et ce n'est que plus tard, alors que je passais par les mêmes lieux sacrés pour les mêmes raisons, que je découvris à ma plus grande honte que nous avions complètement failli à nos devoirs.

— Elle détenait à l'époque le portefeuille sur le statut de la femme, ajouta faiblement Zoé. Je suis persuadée qu'elle n'a rien dit par solidarité avec moi, pauvre épouse épuisée par sa longue journée de travail négligeant ses devoirs domestiques.

— Tu n'y es pas du tout, ma chérie. Au contraire ! Vu son titre, elle aurait dû me le reprocher. Comme la député ministre à la Condition féminine, il eut été malséant que je compte sur toi pour ce genre de chose. Non, non. Selon ce raisonnement, il fallait t'épargner ce déshonneur en prenant soin moi-même des tâches domestiques. À propos, ajouta Simon en se tournant vers Claire et Adrian, j'ai fait le tour des W.-C., vous pouvez y aller sans crainte.

Ils furent interrompus par l'arrivée de Juliette, la fille de leurs hôtes. Grave et élancée, à quinze ans elle ressemblait déjà à son père. Après avoir embrassé tout le monde, elle s'assit sur le bras du fauteuil où Simon prenait place et posa la tête sur son épaule, aussi naturellement que si elle avait eu dix ans de moins. Claire et Zoé échangèrent un regard complice. Elles avaient souvent évoqué l'attachement particulier de Juliette à son père.

— Qu'est-ce qui vous faisait rire? demanda Juliette sans lever la tête. Je vous entendais en montant l'escalier.

— Papier cul, répondit Simon, ce qui déclencha un autre grand éclat de rire.

Juliette demeura imperturbable tout en les observant à sa manière solennelle et tranquille.

— Tu t'es amusée avec tes amis? lui demanda Zoé, en s'essuyant les yeux.

— Je n'étais pas là pour m'amuser, maman, répliqua Juliette sur un ton qui en disait long. Je t'ai déjà expliqué qu'on se rencontrait dans un but précis. Je parie que tu as déjà oublié.

— Désolée, mon trésor, répondit Zoé, je sais que c'est très important pour toi, mais je me disais que tu avais tout de même le droit de t'amuser.

Se tournant vers Claire et Adrian, Zoé expliqua que Juliette faisait partie d'une association d'étudiants contre le racisme :

— Il y a eu quelques incidents malheureux au lycée, dirigés contre des Maghrébins. Avec ses copains, Juliette essaie de faire quelque chose. Ils prennent cela très à cœur.

— Raconte, demanda Adrian, encourageant la jeune fille à parler. J'aimerais vraiment que tu m'en dises plus sur ce que tu fais.

« Il s'ennuie sûrement de Melissa, songea Claire, un peu jalouse. » Juliette ne ressemblait pas du tout à la fille d'Adrian mais, sous leur air sérieux se cachait une maladresse commune. Adrian déploya tout son charme en vain.

— J'ai parlé toute la soirée. J'ai besoin d'aller dormir, lui répondit Juliette, qui embrassa tout le monde avant de se retirer.

« Dieu que les petits Français sont bien élevés », se dit Claire devant ce rituel familier. La bonne humeur, momentanément réfrénée par la sombre Juliette, regagna rapidement la table. Les quatre amis n'étaient pas joyeux de nature mais, ensemble, ils devenaient enjoués et rieurs. Se retrouver dans une même ville était une raison suffisante pour élever leur esprit et devenir géniaux. Simon continuait à servir de bons vins, ce qui ajoutait à la magie de la soirée. Adrian invita Simon et Zoé à les accompagner le lendemain à Ermenonville, en banlieue de Paris. Ils acceptèrent avec enthousiasme cette offre spontanée, sans s'inquiéter de ce qui avait déjà été programmé pour samedi.

Cette insouciance les laissa momentanément sans voix, mais, retrouvant leurs esprits, ils commencèrent à organiser la sortie dans les détails, la planification faisant intégralement partie du plaisir anticipé, qu'ils s'arrangeraient pour prolonger le plus longtemps possible.

Après maintes tergiversations, ils se rangèrent à l'avis de Simon, qui, craignant les bouchons du week-end, suggéra d'y aller en train. Comme il était aisé de se perdre à la Gare du Nord, Adrian proposa qu'ils se retrouvent chez Zoé et Simon d'où ils prendraient un taxi jusqu'à la gare. Simon lui fit remarquer que les taxis parisiens n'acceptaient pas plus de trois passagers, mais Zoé affirma qu'en prévenant assez tôt ils pourraient obtenir une voiture pour quatre personnes. Simon écarta cette possibilité sous prétexte qu'il était déjà assez difficile de trouver un taxi le samedi, encore plus d'en trouver un pour quatre passagers, sans compter que le chauffeur devrait accepter de courir le risque d'attraper une contravention pour avoir fait monter une personne de plus. Zoé dit regretter l'époque où Simon avait une voiture de fonction et un chauffeur.

— C'était tellement plus pratique ! dit-elle en soupirant.

Simon, qui n'aimait pas se faire rappeler qu'il avait réintégré les rangs des fonctionnaires anonymes et perdu des privilèges, lui coupa sèchement la parole.

— Un peu de sérieux, Zoé. Tu sais bien que ces temps sont révolus.

Claire préférait ne pas se mêler à la discussion et elle fut reconnaissante qu'on ne sollicite pas son avis. Quel plaisir de n'avoir d'autres soucis qu'une balade, un horaire, un lieu de rendez-vous. La discussion ne fut bientôt plus qu'un agréable bruit de fond tandis que, intérieurement, elle se retirait de la scène, figeant ces paramètres dans sa mémoire comme sur une pellicule photographique. C'était un moment insignifiant, mais ce moment la rendait heureuse et elle voulait en préserver l'impression, l'emmagasiner comme on le fait de l'énergie solaire pour les périodes plus sombres.

Dans son dos, Claire sentit soudain la douce caresse d'Adrian, qui discutait pourtant toujours avec Simon et Zoé. Une étincelle de désir la sortit de sa chaude torpeur et elle se rapprocha de lui. Elle songea à leurs premiers ébats, aux heures qui s'étiraient infiniment dans son appartement dans un lit trop étroit. Trois ans plus tard, la caresse discrète de son mari ravivait la violence de cette passion et mettait en relief la tranquillité paisible de l'amour qui l'avait remplacée. Le mariage était une sorte de coffre-fort. On n'y perdait rien, à condition de se rappeler la combinaison.

Zoé, à qui presque rien n'échappait, interrompit Simon.

— Assez discuté, dit-elle. Nos amis sont fatigués et je crois qu'il est temps d'aller se coucher si on veut profiter de la journée demain.

Chapitre 6

SITÔT DESCENDUS DU TAXI, Adrian et Claire n'eurent pas de mal à trouver leurs amis. Toujours aussi prévoyant, Simon avait déjà acheté les tickets de train et il prit le contrôle du groupe. Il les entraîna dans le hall d'attente bondé jusqu'au quai d'embarquement, s'arrêtant au passage pour composter les billets. Il en profita aussi pour donner à ses amis une leçon sur le raffinement du système ferroviaire français, comme si, chuchota Zoé à l'oreille de Claire mais assez fort pour qu'il entende, ils arrivaient tout droit de la jungle équatoriale. Ignorant la remarque, Simon poursuivit sur sa lancée en vantant par le menu les mérites du TGV qui venait de fracasser un nouveau record mondial de vitesse sur rails : cinq cent treize kilomètres à l'heure.

— Vous ne vous rendez pas compte ! Nos trains se déplacent plus vite que la vitesse de croisière de certains avions. Ça en a bouché un coin à nos amis japonais.

À l'écouter, Claire ne pouvait qu'être d'accord avec Zoé... À l'occasion, Simon pouvait se montrer extrêmement ennuyeux. En présence d'étrangers qui risquaient de ne pas apprécier pleinement la mission civilisatrice de sa patrie, il se lançait parfois dans des soliloques grandiloquents. Au début, Adrian avait été agacé par ses discours — on ne savait jamais vraiment s'il s'adressait à une importante délégation commerciale internationale ou à un groupe restreint d'amis — mais il s'y était fait.

Les trois suivaient Simon, aussi heureux que des écoliers un jour de sortie.

— Je ne me rappelle pas la dernière fois qu'on a quitté Paris, dit Zoé après avoir pris place dans le compartiment. Venez plus souvent, ça nous sortira du train-train quotidien.

— Mais on est partis à Noël ! dit Simon avec son souci d'exactitude. Tu ne t'en souviens pas, ma chérie ? On est allés à Milan, où j'ai acheté d'ailleurs ces chaussures de marche, ajouta-t-il en pointant du doigt ses pieds. C'est la première fois que je les porte. J'espère que je ne regretterai pas d'avoir fait confiance au vendeur. Il m'a assuré qu'elles étaient très confortables.

Simon avait fait un effort pour s'habiller plus décontracté — pantalon de flanelle sans faux pli, chemise polo, blazer, parapluie et imperméable. Ce n'était pas très réussi. Zoé, vêtue d'un jeans et d'un coupe-vent, le taquina gentiment :

— Simon, même en vacances, tu ressembles à un fonctionnaire.

Claire était soucieuse. Elle aurait préféré qu'Adrian suive son conseil et prévienne Marcel de leur arrivée à quatre plutôt qu'à deux. Marcel était susceptible et imprévisible, on ne pouvait jamais savoir comment il allait réagir. Adrian avait d'abord promis de s'en occuper puis s'était ravisé, de crainte que son ami ne se défile. Marcel était mal à l'aise en présence d'inconnus. Il valait mieux le mettre devant le fait accompli. De toute façon, Zoé et Simon étaient le genre de personnes qui pouvaient lui plaire.

Claire oublia son malaise dès que le train eut quitté la banlieue pour sillonner la campagne. Les champs verdoyants, les arbres en fleurs, les fermes soigneusement clôturées calmèrent son esprit au fur et à mesure qu'ils se rapprochaient de leur destination. Ce paysage champêtre était aussi agréable à ses yeux que les jardins élaborés qu'admirait Adrian.

En sortant du wagon, ils repérèrent Marcel venu les chercher à la gare. Claire sut tout de suite que ses craintes étaient fondées. Visiblement la présence des intrus le troublait. Le tic nerveux qui lui faisait hausser les épaules et baisser la tête dans un mouvement semi-circulaire s'amplifia.

— Ça alors ! Je ne sais vraiment pas comment on va faire, dit-il en ignorant quasiment Zoé et Simon. Impossible de monter à six dans la voiture de Sophie, grommela-t-il en pointant une petite Citroën.

La jeune conductrice sortit de la voiture pour serrer la main à tout le monde. Sophie était mince, délicate et si pâle qu'on aurait dit que toute couleur avait déserté son visage. Étudiante de Marcel, elle l'avait invité pour le week-end chez ses parents qui habitaient tout près des jardins d'Ermenonville.

Le petit groupe restait debout sur le quai, ne sachant trop que faire. Marcel, en plein désarroi, s'agitait en murmurant des paroles incompréhensibles. Cette manifestation d'angoisse les réduisit au silence. La proverbiale diplomatie de Simon ne fut d'aucun secours. Les contorsions de Marcel et sa logorrhée incontrôlable avaient quelque chose de si comique que Claire s'efforça d'éviter le regard de Zoé, de crainte d'éclarer de rire aussitôt.

La jeune Sophie les tira d'embarras avec une grâce étonnante pour une fille de son âge :

— Vous êtes tous invités à déjeuner chez mes parents avant la visite du jardin, dit-elle en souriant à Zoé et à Simon. La maison est à deux kilomètres. Je propose d'emmener trois personnes et de revenir chercher les deux autres tout à l'heure.

Au moment de partir, elle posa une main sur le bras de Marcel, qui répondit d'un regard de reconnaissance éperdue.

— Je vais marcher, décréta Claire.

Elle fut un peu dépitée d'entendre Marcel offrir de l'accompagner. Maintenant que Sophie avait les choses en main, il semblait regretter son mouvement d'humeur.

— Je suis sûr que Sophie sait ce qu'elle fait, dit-il. C'est une femme remarquable.

— Tu sais, Marcel, j'ai demandé à Adrian de te prévenir qu'on venait avec des amis, dit Claire au moment de se mettre en route. On s'arrêtera au village et je ferai des courses pour les parents de Sophie.

Marcel respirait bruyamment.

— Ce n'est pas si simple, Claire, dit-il entre deux inspirations. Tes amis sont charmants, je n'en doute pas une seconde et je suis ravi de faire leur connaissance, mais c'est très gênant. On est à la campagne, il y a peut-être deux épiceries dans le village et elles seront sans doute fermées quand on arrivera.

S'ils continuaient à ce rythme, ils avaient peu de chances d'être là avant midi. Malgré la chaleur, Marcel portait son vieux tricot marine et un foulard autour du cou. Même si tous les deux semblaient sur le point de se démailler, Claire ne l'avait jamais vu porter autre chose. Marcel, pourtant essoufflé par la marche, continua son monologue dans la côte.

— Les parents de Sophie sont des gens vraiment particuliers. Tu vas les aimer. Son père est le médecin du village, mais tous les ans il va en Somalie ou en Afghanistan donner un coup de main aux gens là-bas. Tu connais Médecins sans Frontières ? C'est un organisme qui envoie des gens comme Gilbert partout dans le monde, là où il y a des problèmes. Anne-Marie, la mère de Sophie, a élevé cinq enfants. Le plus jeune a onze ans. Ils sont charmants. J'étais dans un état épouvantable quand je suis arrivé hier soir. J'avais affreusement mal à l'oreille et je commençais à avoir de la fièvre. Ils se sont tous occupés de moi. Gilbert m'a fait une injection de demerol et j'ai dormi ma première bonne nuit depuis des semaines. J'ai une dette envers eux. C'est pour ça que je me sens mal à l'aise.

Pour épargner Marcel et ses poumons, Claire entreprit de faire l'éloge de ses amis. Elle évoqua le poste de haut fonctionnaire de Simon, sa passion pour Stendhal, la pratique florissante de Zoé et leur magnifique appartement dans la rue des Beaux-Arts. Marcel menait une existence assez bohème, mais comme la plupart des Européens il restait sensible à la hiérarchie sociale. Il rappelait souvent à son entourage qu'il appartenait à une célèbre famille de banquiers protestants, bien que lui-même fût issu de la branche intellectuelle pauvre. Son seul héritage, se plaisait-il à répéter, consistait en une concession dans le cimetière Montparnasse, rare privilège dont il userait un jour pour l'éternité, aux côtés de Charles Baudelaire qui y reposait déjà.

Le retour de Sophie interrompit la conversation. Claire la pria de s'arrêter au village, mais Marcel exigea qu'ils passent d'abord par la maison pour discuter des courses avec la mère de Sophie. Bien entendu, la jeune femme obéit à l'injonction de son professeur. Claire surveillait d'un œil inquiet les aiguilles sur le tableau de bord. Ils avaient peu de chances d'arriver avant la fermeture des boutiques.

La demi-heure qui suivit ressembla à une séquence de film en accéléré. À la maison, Claire entraperçut Gilbert, le père de Sophie, qui venait de la terrasse pour les accueillir, mais avant même qu'elle ait pu lui serrer la main, Marcel l'avait propulsée vers la cuisine. Faisant fi des convenances, il pressa de questions Anne-Marie, la mère de Sophie. Avait-elle besoin de pâtés, de vin, de pain ? Et s'ils s'arrêtaient chez le pâtissier ? Et le boulanger du village, il était bien ? Et le fromager ? C'est toujours bien le fromage pour allonger un repas. Comme sa fille, Anne-Marie offrait son calme souriant à la charge verbale de Marcel. Claire enviait ce calme ; elle-même était captive de l'hystérie de Marcel. Sans attendre de réponse, Marcel les avait sorties de la cuisine, entraînées sur la terrasse, puis ramenées à la voiture devant les visages médusés des convives. Elle entendit vaguement qu'on leur criait quelque chose, mais la voiture filait déjà à toute allure en direction du village.

Par chance, les deux marchands n'avaient pas fermé boutique sur la place. Avec Marcel qui la pressait et la nervosité qui lui brouillait les idées, Claire acheta sans réfléchir. Sophie essayait tant bien que mal de la retenir.

— Je pense que maman a préparé une tarte au citron pour le dessert... Je crois qu'il y a des quiches en entrée...

Le doux murmure de Sophie n'atteignait pas Claire. Les petits paquets de papier marron soigneusement emballés s'accumulèrent sur le comptoir tandis que les employés continuaient à répondre à ses nombreuses demandes. Heureusement, le respect des boutiquiers pour la sacro-sainte heure de déjeuner outrepassa leur cupidité et la joyeuse bande se trouva rapidement dans la rue devant des volets tirés et solidement verrouillés.

De retour à la maison, Claire évita consciemment Marcel, de crainte qu'il ne l'entraîne dans une nouvelle folie. Marcel s'affala dans un fauteuil situé dans un coin de la pièce. Claire le connaissait assez pour savoir que ces moments d'intense fébrilité étaient souvent suivis de périodes d'effondrement. Elle ne s'attendait pas à ce qu'il se joigne aux autres avant qu'ils ne passent à table.

Claire n'eut pas de mal à retrouver son calme dans cette atmosphère détendue. Il y avait assez de nourriture pour satisfaire les appétits les plus féroces et il y en aurait sans doute eu assez sans sa contribution, mais le défilé des plateaux de charcuteries, de fromages et de légumes du marché ajoutait une note d'abondance à ce repas sans prétention constitué de quiches aux poireaux, de poulet au four et de tarte au citron. Ses extravagances avaient transformé ce repas simple en une fête somptueuse, que personne ne semblait avoir particulièrement envie de quitter.

Marcel émergea de son hébétude et, avec sa verve habituelle, il réussit à mobiliser l'attention de tous. Anne-Marie profita d'un moment où il se resservait pour demander s'ils étaient allés au théâtre depuis leur arrivée.

— Il y a d'excellentes pièces en ce moment à Paris. Malheureusement, je n'ai pas eu le temps d'en voir une seule.

— En dehors des reprises et de quelques comédies stupides, les productions viennent toutes d'ailleurs, ajouta Marcel en remplissant leur verre. Notre culture est prise d'assaut par une puissance étrangère plus subtile et dangereuse que toutes celles que nous avons connues auparavant.

— Ça y est, Marcel va nous faire un numéro d'antiaméricanisme primaire, dit Gilbert en souriant à Adrian et Claire comme pour l'excuser. Sa tolérance est à peu près nulle dès que se manifestent les signes de la civilisation américaine dans notre environnement.

— Pardon de vous contredire, Gilbert, répliqua Simon, mais je trouve que « civilisation » est un bien grand mot pour décrire les ravages des *McDonald's* et des *Pizza Hut* dans le paysage urbain.

— Je ne sais pas, reprit doucement Sophie. Un hamburger sur le pouce est parfois plus tentant qu'un dîner engoncé. Et puis, la musique américaine est géniale. Les vêtements aussi. Mes amis et moi sommes des fans de *Calvin Klein* et *Gap*.

— Vous voyez ce contre quoi je dois lutter, grogna Marcel en se frappant le front pour marquer son exaspération. Mes classes sont remplies de barbares comme Sophie qui trouvent très chic de singer les mœurs américaines. Étonnant qu'ils arrivent encore à comprendre leur propre langue quand on entend ces phrases truffées d'argot en anglais.

— Désolée de vous décevoir, Marcel, mais je comprends Sophie, répondit Zoé en lançant un sourire encourageant à la jeune femme. J'ai toujours aimé le cinéma américain, surtout les comédies et celles de Woody Allen en particulier. Les *McDonald's* sont peut-être affreux — honnêtement, je n'y ai jamais mis les pieds —, mais je suis toujours mal à l'aise quand j'entends parler de contamination culturelle. J'y sens un relent d'apartheid et de nettoyage ethnique.

— Vous avez peut-être raison, acquiesça Gilbert, mais la mondialisation économique et culturelle a des effets tout aussi pervers. Il faut à la fois résister à ce qui peut nuire et refuser de cautionner le discours de ceux qui rêvent de frontières étanches. Vous savez, chaque fois que je vais aux États-Unis, je suis frappé par l'énergie et la diversité qui s'en dégagent. C'est un pays forgé par des immigrants fiers de se dire américains avant même de connaître la langue. Si nous avions seulement la moitié de leur succès dans l'intégration des étrangers !

— Je ne pense pas que nous ayons de leçons à recevoir de personne pour ce qui a trait à la façon dont on traite les minorités.

Simon avait soudain un timbre de voix solennel et pédagogique.

— La France a toujours été la terre d'asile de l'Europe pour l'accueil des réfugiés politiques de tous les coins du globe. Notre devise — *Liberté, Égalité, Fraternité* — était symbole d'espoir dès que surgissait l'oppression. La notion même de politique de gauche et de droite trouve sa source en 1789 à l'Assemblée nationale. Le monde entier admire nos idéaux. Notre contribution à la philosophie, à l'art d'aimer, de boire et de manger, ainsi qu'à la mode est largement imitée. Nous avons parfaitement le droit de nous considérer comme un modèle universel de civilisation.

— Ce que vous dites a peut-être été vrai dans le passé, reconnut Gilbert de mauvaise grâce, mais je crains que l'avenir n'appartienne aux Américains.

— N'y voyez-vous pas une ressemblance avec l'attitude de Pétain devant les Allemands ? Capituler sans hésitation et ouvrir ses portes à l'ennemi ?

Simon n'arrivait plus à retenir sa colère.

— Quel espoir pour notre pays si nos propres citoyens n'ont pas la volonté de défendre son héritage ? La France comme nous la connaissons ne mérite peut-être pas de survivre, dit-il sur un ton pessimiste.

Claire fut choquée de lire tant de désarroi sur son visage, tandis qu'il s'effondrait sur sa chaise. La discussion seule ne pouvait pas être la cause d'une si évidente contrariété. Que se passait-il ? Elle chercha Zoé du regard pour comprendre. Son air soucieux confirma ses doutes. Simon n'allait pas bien.

Son intervention pessimiste jeta momentanément un froid chez les convives. Seul Gilbert était prêt à poursuivre la discussion.

— L'erreur, c'est que nous consacrons beaucoup de temps à contempler notre glorieux passé. En attendant, le monde qui nous entoure change très vite et nous courons le danger d'être bientôt complètement dépassés. Je crois qu'il faut retenir ce qu'il y a de mieux dans ce nouvel ordre mondial et l'adapter à notre manière. Autrement, on finira comme ces braves Polonais qui ont lancé la cavalerie contre les chars d'assaut allemands.

Anne-Marie se leva brusquement et éloigna sa chaise de la table. Elle paraissait furieuse que son mari n'ait pas saisi qu'elle en avait assez de cette discussion. Claire constata avec plaisir que le calme de cette femme avait, lui aussi, ses limites.

— Gilbert, j'ai besoin de toi dans la cuisine, se contenta de dire Anne-Marie.

Ils revinrent quelques minutes plus tard avec les plateaux de victuailles. Tout le monde, Simon compris, semblait disposé à sacrifier la conversation aux plaisirs de la table. Au fur et à mesure de la progression de ce repas bien arrosé, l'atmosphère se détendit et les langues se délièrent dans une liberté, une improvisation et une virtuosité que Claire trouva charmantes. Même Simon oublia son emportement passager et participa aux échanges enjoués. Claire vit les plis de tension autour des lèvres de Zoé s'effacer à mesure qu'elle se laissait aller à la gaieté générale.

Cette passion pour la joute oratoire avait été l'une des découvertes heureuses de Claire durant ses études à Paris. Après le silence oppressant des dernières années à la maison, elle l'avait accueillie avec bonheur même si elle connaissait trop mal la langue pour pouvoir y participer de manière active. Elle s'accommodait bien de son rôle de spectatrice. Son français s'était considérablement amélioré depuis, mais en présence de la maîtrise dont faisaient preuve les gens autour de la table, elle se contentait d'admirer les prouesses des uns et des autres, tant qu'elles duraient. Les mots fusaient de toute part, tels des esprits bienveillants. Tant que ces esprits flottaient gracieusement dans la pièce, rien de mal ne pouvait arriver aux convives attablés.

Tout le monde semblait partager son plaisir. Le bon vin, la conversation fluide, les fenêtres ouvertes sur le jardin et les champs verdoyants les rendaient oublieux du temps. C'est à l'insistance d'Adrian qui voulait visiter Ermenonville qu'ils mirent fin à ce repas.

Chapitre 7

Claire était soulagée qu'Adrian ait réussi à les persuader de quitter la table. La grisaille avait finalement cédé à un ciel d'avril plutôt ensoleillé. Il faisait plus chaud que le matin et elle appréciait de se retrouver seule avec lui, tandis que leurs amis les suivaient un peu en arrière. Ils marchaient sur une petite route de campagne entre des champs de colza aux fleurs jaunes à peine écloses. Claire, encore sous le charme de la nuit précédente, aurait voulu s'allonger avec Adrian, protégée des regards indiscrets par la végétation, mais elle voyait bien que ces plaisirs étaient déjà loin pour lui. Son enthousiasme allait aux jardins qu'ils apercevaient déjà et dont il lui décrivait avec passion la beauté.

Claire aussi avait de bonnes raisons d'être excitée : en marchant sur cette route qui conduisait à Ermenonville, elle retraçait le pèlerinage de sa mère sur la tombe de son grand mentor. Claire ne saisissait pas encore tout à fait l'importance que Rousseau avait eue dans la vie de sa mère. Elle connaissait les justifications rationnelles, la profession de foi de Dolly — l'exaltation de la nature, le refus de s'attacher aux biens matériels et sa haine de l'injustice — mais les grands penseurs ne sont-ils pas à la mesure de ce que nous en faisons ? En comblant les espaces vides entre les mots, les leurs, avec notre idée propre de l'existence, nous refaçonnons leur pensée de manière qu'elle corresponde à notre perception.

Le parc avait été aménagé au dix-huitième siècle, raconta Adrian, par un jeune idéaliste, le marquis René de Girardin. Inspiré par Rousseau, il avait renoncé à la vie mondaine au profit d'une plus grande intimité avec la nature. Le marquis s'était ainsi mis en tête de transformer l'immense terrain dont il avait hérité, composé de bois, de dunes de sable et de marais, en vaste arrangement horticole.

— Dans ses mémoires, le marquis a écrit : « La nature et Rousseau furent mes maîtres », ajouta-t-il en s'arrêtant pour souligner l'importance de cette affirmation, mais ses écrits révèlent ses propres ambitions d'artiste. Il a réussi à se servir des éléments naturels pour créer ces paysages paisibles d'une grande beauté. Le jardin n'est plus guère entretenu et la nature a repris ses droits, mais on y sent encore la présence de Girardin et l'influence de Rousseau.

« Étrange, songea Claire en écoutant Adrian. Dolly aussi avait trouvé l'inspiration dans les enseignements du philosophe, des années après le marquis, alors que ce lieu sacré était laissé presque à l'abandon. » En empruntant avec Adrian un sentier feuillu, Claire sentit soudain très fort la présence de Dolly : un être fragile enveloppé dans les vêtements amples qu'elle affectionnait et qui marchait en éclaireur, à l'affût d'un détail du paysage pour en esquisser quelques traits dans son cahier à dessins, là où le grand homme avait lui-même médité. Son esprit, comme celui de Dolly, conférait aux lieux une sorte de magie. La rangée de tilleuls sur la route, les étendues écarlates de pavots sauvages, les vignes si luxuriantes qu'elles cachaient presque les passerelles au-dessus des ruisseaux, tout cela était baigné d'une lumière vive, comme si un événement extraordinaire était sur le point de se produire. Claire eut un léger tressaillement de plaisir.

Ils reprirent la marche et Adrian poursuivit son exposé. Quand le jardin fut presque achevé, le marquis avait offert au pauvre vieux philosophe cerné de toute part un asile dans ce nouveau paradis. Pourchassé par ses pairs et par les autorités politiques, Rousseau, fatigué et malade, avait accepté l'offre de Girardin. Le 20 mai 1778, il faisait le voyage jusqu'à Ermenonville dans un carrosse confortable dépêché par son protecteur. Le monde de rêve créé par le marquis émut Rousseau, qui crut enfin avoir trouvé un lieu où lui et sa fidèle compagne, Thérèse Le Vasseur, pourraient connaître la tranquillité d'esprit qui lui avait toujours échappé. Il était mort peu de temps après son arrivée, victime d'une attaque cérébrale.

— La mort d'une idole est toujours triste, mais peut s'avérer providentielle pour l'admirateur, qui est désormais en mesure de s'approprier la légende et d'en faire un culte. Un peu comme si Elvis était mort dans ton salon, dit Adrian, qui s'interrompit un moment. La mort de Rousseau dans cette nouvelle Arcadie a offert à Girardin la chance ultime d'honorer la mémoire de son héros, fondateur du culte de la nature. Le tombeau de Rousseau devint le point culminant du rêve de Girardin, un rêve qu'il n'aurait jamais osé imaginer en lui lançant son invitation. Il ordonna aussitôt qu'on fasse un moule de son visage afin qu'il serve de modèle pour la réalisation de bustes de Rousseau. L'inhumation eut lieu à minuit sous une lune brillante et ce fut un moment hautement romantique. Des villageois, une torche à la main, entouraient les rives du lac. Une barque noire, éclairée par quatre flambeaux, glissait sur les eaux, emportant le cercueil de Rousseau vers l'île que tu vois là, juste devant. Quel spectacle !

Claire comprenait pourquoi Adrian avait tant de succès avec ses conférences. S'il lui arrivait de rester insensible à son éloquence parce que le sujet l'ennuyait ou qu'elle voulait faire dévier la conversation, aujourd'hui, elle buvait chacune de ses paroles, partageant l'enthousiasme qu'elle lisait sur son visage.

— Et alors ? demanda-t-elle, leurs préoccupations se rejoignant en ces lieux enchanteurs.

— La tombe de Rousseau s'est vite transformée en lieu de pèlerinage important en Europe. C'était le Graceland de l'époque, si on poursuit l'analogie avec Elvis. Napoléon y est venu, de même que le roi de Suède, l'empereur d'Autriche, Benjamin Franklin, Thomas Jefferson et d'autres célébrités de l'heure. Même après qu'on a eu déplacé ses restes au Panthéon, à Paris, aux côtés des tombeaux d'autres Français illustres, le site a continué à attirer des visiteurs venus de partout. On dit que devant sa tombe, Napoléon s'est exclamé d'émotion : « Je redoute le jour où on demandera s'il eût été préférable que ni lui ni moi n'eussions existé. » Ce n'est qu'une des grandes révélations que l'on attribue à la magie des lieux.

Claire s'arrêta pour méditer sur ce qu'elle venait d'entendre et permettre aux autres de les rattraper. Leurs compagnons ne semblaient pas pressés de les rejoindre. Ils bavardaient et riaient, aussi détendus qu'en quittant la table. Claire se sentait un peu étourdie, comme tout à l'heure après avoir bu du vin. La beauté de l'endroit et le pouvoir de ces événements passés étaient sans doute la cause de ce doux état de rêverie. Elle sentit l'impatience d'Adrian et l'encouragea à prendre un peu d'avance pendant qu'elle attendait les autres. Il lui en sut gré et s'éloigna d'un pas énergique avant de disparaître rapidement à l'horizon.

— Quelle merveilleuse journée ! dit Zoé en prenant le bras de son amie. Tu sais, Claire, tu as un véritable talent pour dénicher des gens raffinés et accueillants. En France, comme je te l'ai souvent répété, ils sont encore plus rares que les truffes blanches.

— Tu racontes n'importe quoi ! Si tu prenais l'avion pour sortir du pays, tu verrais comment se comportent les gens à l'étranger et tu jugerais un peu moins sévèrement tes compatriotes. Mais je suis d'accord, Gilbert et Anne-Marie nous ont merveilleusement bien accueillis. Et que penses-tu de Marcel ?

— À sa manière il est marrant, mais j'avoue que ses tics nerveux finiraient par me rendre folle. Tu as remarqué comme il baisse le menton avant de tourner la tête à droite ou à gauche ? Il fait ça tout le temps. Je n'ai jamais été très douée avec les obsessionnels. Sans le vouloir, je finis toujours par les imiter. Et c'est quoi son truc avec sa montre ? Il n'arrête pas de regarder l'heure.

— Ah ! moi je sais pourquoi, répondit Claire en riant. Il est éperdument amoureux d'une femme qui vit à New York. Il a réglé sa montre à l'heure des États-Unis pour suivre tous ses mouvements dans la journée.

— Espérons pour elle qu'elle ne reviendra pas. C'est le genre d'homme qui ne peut aimer qu'à distance.

Zoé se tourna vers Simon qui commençait à souffrir de la chaleur dans son pantalon de flanelle et son blazer de laine.

— Qu'est-ce que tu attends pour enlever ta veste ? L'hiver est fini, dit-elle en le voyant rouge et en sueur.

Faisant mine de ne pas avoir entendu, Simon entreprit de parler de Rousseau. Il répéta l'histoire que Claire venait d'entendre sur Napoléon devant la tombe du philosophe. Simon connaissait une version plus élaborée et il lui fallut au moins deux fois plus de temps qu'à Adrian pour la raconter. Lorsqu'il eut fini, Zoé avoua en riant que Simon avait potassé ses bouquins après leur départ pour les épater avec ses connaissances historiques.

Claire appréciait trop Simon pour encourager Zoé sur cette voie. Depuis quelque temps, Zoé n'arrêtait pas de se moquer de son mari, et Claire n'aimait pas cela. Simon s'éternisait parfois sur un sujet et ses trop bonnes manières frisaient souvent le ridicule, mais il restait toujours galant. Contrairement à Zoé, qui l'avait certainement entendu plusieurs fois, elle l'écouta d'une oreille bienveillante discourir sur l'histoire française.

— Quel âge avait Rousseau quand il est arrivé ici ? lui demanda-t-elle.

— Alors, si tu l'encourages... fit Zoé en s'échappant pour retrouver les autres.

— Fais attention, ma chérie, cria Simon en la voyant détaler.

Zoé s'était cassé la cheville l'hiver précédent en jouant au tennis et les os étaient encore fragiles.

— Maintenant, à propos de Rousseau. Il avait soixante-six ans quand il a finalement accepté l'invitation du marquis de Girardin. Pour l'époque, il était très âgé ! Ce serait comme en avoir quatre-vingts aujourd'hui. On peut donc parler d'un vieillard en mauvaise santé et très déprimé, si on se fie à sa correspondance. Il était embourbé dans des tas de procès avec les autorités qui condamnaient ses ouvrages et puis il s'était mis à dos la plupart de ses amis et presque tous ses mécènes, qu'il harcelait de demandes et accusait sans arrêt de trahison. Sans compter ses problèmes d'argent. L'invitation du marquis est arrivée comme une bénédiction. Il était transporté de bonheur en visitant les jardins. Ils étaient la preuve qu'on vénérait ses idées. Il a embrassé le marquis et il lui a dit à peu près ceci : « Il y a longtemps que je cherchais un lieu comme celui-ci et aujourd'hui mes yeux me convainquent que je souhaite y rester pour toujours ». S'il avait vécu, il se serait certainement querellé avec son dernier bienfaiteur, comme avec tous les autres, mais le destin en a voulu autrement et la mort lui a épargné une dernière déception. Attention, Claire, il y a un peu de boue là, devant.

— Quelle mémoire, Simon !

— Comme a dit Zoé, j'ai fait mes devoirs avant de venir.

Simon prit Claire par le bras et la guida doucement entre les flaques d'eau.

— Ah ! Nous voici. Le premier site important. Le tombeau de Rousseau. Il y a deux siècles, les pèlerins étaient obligés de pleurer en arrivant ici. Tiens, asseyons-nous un moment sur ce banc comme l'ont fait avant nous tous les grands visiteurs. On voit bien le tombeau, qui, selon la légende, a le pouvoir de stimuler. Comme Lourdes. C'était peut-être une erreur de porter ces nouvelles chaussures italiennes aujourd'hui.

Ils prirent place sur le banc de pierre au bord du lac. Droit devant, au milieu du lac, sur une petite île semée de peupliers, on pouvait voir entre les rangées d'arbres le tombeau de Rousseau, un sarcophage de style romain. Cela correspondait à la description qu'on en avait faite à Claire. L'île, les peupliers, le modeste sarcophage de pierre baignaient dans une atmosphère de calme et de mélancolie. Elle se laissait envahir par le pouvoir évocateur de ces lieux.

Simon lisait dans ses pensées.

— On sent le poids de l'histoire, n'est-ce pas ? Tu n'as pas l'impression de voir Rousseau, là, sur un des sentiers ? Disons que la tranquillité des lieux aura au moins permis d'atténuer ses chagrins... Je crois que c'est ce qui me manque, ajouta-t-il après un silence. Une longue période de solitude, de préférence à la campagne. On dirait que je ne m'entends pas très bien avec les gens ces temps-ci.

— Arrête, c'est idiot, répondit Claire en lui tapotant le bras. Tu es merveilleux avec tout le monde.

Elle savait que Simon s'en voulait, mais elle ne réussit pas à le convaincre.

— Merci, Claire, mais j'ai l'impression que je ne vaux rien pour personne en ce moment.

Ils restèrent assis quelque temps. La morosité de Simon ajoutait à la mélancolie de la scène. Claire se demandait comment lui remonter le moral quand Adrian fit son apparition. Il avait l'air d'excellente humeur, constata-t-elle, heureuse de le voir si bien disposé. Elle se jeta dans ses bras comme s'il y avait des jours qu'ils ne s'étaient pas vus. Étonné, Adrian ne savait pas trop comment réagir.

— Heu... Je voulais vous parler de l'inscription gravée sur la tombe, dit-il, après s'être dégagé de l'étreinte de Claire. J'avais peur que vous ne la voyiez pas. C'est écrit : « Ci-gît un homme de nature et de vérité ».

Simon, soucieux d'épargner ses états d'âme à Adrian, bondit sur ses pieds, prêt à se lancer dans le débat.

— Quelle ironie ! Un homme dévoué à la vérité et qui a passé sa vie à mentir, commença-t-il d'une voix teintée de mépris. C'est la clé de la tragédie rousseauiste. Un menteur amoureux de la vérité. Il n'y a qu'à voir comment il a essayé de justifier son comportement avec ses propres enfants. Vous vous rendez compte, il les a confiés tous les cinq à l'Assistance publique, comme des petits chats dont on ne veut pas ! Et ça, c'est l'homme qui se préoccupait du bien-être des petits et qui a écrit des tas de bouquins défendant une nouvelle approche de l'éducation et le respect des droits des enfants, y compris celui des nourrissons d'être avec leur mère. Et saviez-vous qu'il s'était également battu contre les femmes de la haute, qui confiaient souvent leurs enfants à des nourrices ? Cela a suscité un débat national sur l'allaitement, et ce n'est pas fini ! Non mais, quel hypocrite !

Comme Claire l'appréhendait, Adrian mordit à l'appât, mais le débat ne l'intéressait pas. « Deux coqs montés sur leurs ergots », pensa-t-elle avec mauvaise grâce, heureuse de les voir s'éloigner. Ces propos interféraient avec l'image de Rousseau qui émergeait lentement à sa conscience. Elle ne s'intéressait pas tellement au grand philosophe tant admiré par sa mère, mais à l'être de chair et de sang, à l'homme fragile et épuisé qui cherchait un peu de réconfort dans la nature. Pendant des années, elle avait ignoré Rousseau, uniquement parce qu'il appartenait à l'univers de Dolly. Aujourd'hui, ici, à Ermenonville où il avait vécu et où il était mort, elle sentait la force de sa présence. À l'instar de Dolly, elle voulait être seule avec lui, dans cet endroit où il était si facile d'oublier le passage du temps.

Adrian et Simon disparurent de sa vue et elle traîna encore un peu, hésitant à quitter les lieux. Quelque chose de particulier l'affectait profondément — les eaux immobiles du lac, le sarcophage de marbre blanc qui semblait flotter, la nature inchangée de la scène, la patience infinie des peupliers caressés par le vent.

Les feuilles tendres frissonnèrent dans les arbres. Le vent entonna son chant funèbre. Il semblait s'adresser à son âme. Claire ferma les yeux et entendit distinctement une voix chuchoter : « Des fous ! » Cela venait de tout près, mais il n'y avait personne. Elle tendit l'oreille, attentive au vent. On aurait dit maintenant le rire d'un vieillard. Elle faillit rire à son tour. Toutes ces semaines à enquêter sur Dolly pour en arriver là ? La voix d'un vieux fou moqueur portée par le vent ?

Elle avait fait un rêve étrange, peu de temps après la mort de Dolly, dans lequel sa mère se transformait en chat. Quand elle avait voulu caresser l'animal qui ressemblait à s'y méprendre à son chat, il avait disparu sous la clôture du jardin. Elle avait ensuite rêvé, et à plusieurs reprises, qu'elle cherchait partout, mais en vain, ce chat insaisissable. Elle se réveillait alors très agitée, le vrai chat endormi en sécurité et bien au chaud au pied de son lit. Cette voix, était-ce une autre des métamorphoses de Dolly ? Claire écouta de nouveau ces chuchotements qui raillaient à distance la conversation entre Adrian et Simon. Elle décida que cette voix, c'était celle de Rousseau. « Des fous », entendit-elle plus distinctement cette fois. « Des fous savants. Vous avez raison de ne pas suivre ce vain bavardage. »

Il aurait fallu défendre Adrian et Simon, mais Claire n'avait aucune envie d'entamer une discussion avec une voix désincarnée, qui, du reste, ne l'effrayait pas outre mesure. Elle avait toujours été la proie rêvée des âmes perdues. Dans les aéroports, dans les fêtes, on s'attachait à elle de la même manière : une voix inconnue venait soudain troubler ses pensées, comme si quelque chose sur son visage invitait un poursuivant à entrouvrir la porte. Et le plus souvent c'était vrai. Invariablement, elle s'intéressait à eux, du moins pour un certain temps. Elle fit de même avec le nouvel intrus, avec cette voix qui venait de l'intérieur mais aussi de la magie des lieux, une voix porteuse d'un message soufflé par un vent capricieux entre les cimes ondulantes des arbres et rythmé par les battements de son cœur.

Chapitre 8

CLAIRE SE LEVA TIMIDEMENT DU BANC. Elle n'était pas mécontente que la voix la suive. « Les jardins sont dans un état d'abandon épouvantable. Quand je suis arrivé ici, je pensais avoir trouvé le paradis. L'illusion fut de courte durée. Au fond, j'ai servi de divertissement au marquis. On me montrait, j'étais là pour amuser la galerie à un claquement de doigts. Il fallait briller alors que je n'avais qu'une envie : retrouver mon lit. Il est très difficile de commander à son cerveau quand le corps souffre d'épuisement et que vous êtes pris des entrailles nuit et jour à étouffer toute envie de vivre... »

— Claire, attends-moi ! cria Zoé.

Et l'ayant rattrapée :

— Alors, tu as signifié son congé à Simon ? Ras-le-bol de l'érudition ?

Claire préféra ignorer.

— Dis-moi, demanda-t-elle plutôt, il t'arrive d'avoir des patients qui entendent des voix ?

— Quelle drôle de question ! Disons que la plupart des adolescents ont l'imagination assez fertile. Ils entendent toutes sortes de voix sauf celles de leurs parents ou de leurs professeurs. Ces voix-là, on peut dire qu'elles ont bien du mal à les atteindre ! J'ai un patient de seize ans, un garçon très intelligent, débordant d'imagination. Lui, son truc, c'est une espèce de créature informe venue de l'espace qui lui dit comment s'habiller, comment se coiffer. Il est bizarre ! Si tu le voyais, tu jurerais que c'est un extraterrestre. Un cas évident de schizophrénie. Dieu merci, les antipsychotiques font des merveilles. Pourquoi tu demandes ?

— Eh bien, je ne sais pas trop comment te dire, mais je viens d'entendre une voix et je pense que c'est celle de Rousseau. Ne ris pas ! Je l'ai entendue aussi clairement que je t'entends.

— Mais c'est extraordinaire ! Écoute, je t'envie ! Vraiment, je t'envie ! Tu as un don que je ne soupçonnais pas. Moi, je suis beaucoup trop ennuyeuse pour mériter pareil honneur.

— Ne te moque pas, Zoé. Je parie que tu vas me proposer d'ouvrir un cabinet de voyante et de m'acheter une boule de cristal.

— Pourquoi faut-il que les dingues aient le monopole du spiritisme ?

— Ce n'est pas drôle du tout. J'ai vraiment l'impression que ce qui vient de se passer, à défaut de trouver une explication, relève de ta compétence. Et puis, pourquoi moi ? Pourquoi m'avoir choisie, moi ?

— Pourquoi pas ? répondit Zoé, qui riait toujours. C'est peut-être comme les apparitions de la Vierge. Tu as remarqué qu'elle se montrait seulement aux âmes simples, pour ne pas dire aux simples d'esprit ? Autrement dit, as-tu déjà entendu parler d'une personne qui ne peut pas être accusée de manquer d'une certaine rigueur intellectuelle et qui aurait des visions ? C'est aussi vrai des gens qui sont en communication avec des extraterrestres. Tu reconnais quand même que tu es plus intuitive qu'intellectuelle. Tu m'as dit assez souvent que tu trouvais les pirouettes abstraites de ton époux difficiles à suivre.

— Merci du diagnostic, on ne peut plus flatteur au demeurant ! Je vois bien que tu ne me prends pas au sérieux.

Elle en avait assez des moqueries de Zoé. L'étrange phénomène l'avait secouée.

Zoé passa un bras autour des épaules de son amie.

— Claire, on se connaît depuis des années. Ce n'est pas maintenant que je vais me faire du souci pour ton équilibre psychique. Tu veux que je te dise que tu hallucines ? Tu te sentirais mieux ? Ou alors que ton inconscient te joue des tours ? Après tout, j'en connais un chapitre sur la manière dont ta mère t'administrait Rousseau au quotidien avec de l'huile de foie de morue. Que tu le veuilles ou non, tu as sans doute assimilé ses paroles. Maintenant, pour des raisons qui lui appartiennent, ton cerveau a ramené cette voix à ta conscience. Je n'ai pas envie d'analyser. Tu ne devrais pas, toi non plus. C'est passager, alors profites-en tant que ça dure.

Zoé savait donner à l'étrange une apparence de normalité. Rassurée, Claire ne pouvait pas lui en vouloir de la taquiner un peu. Elle avait eu la même réaction le jour où Lucinda lui avait confié sa dernière expérience dans son ashram : en embrassant un arbre, elle avait eu une vision ! Elles en avaient ri aux larmes après que Claire l'eut doucement raillée. Heureusement, quelle que soit sa passion de l'heure, Lucinda ne perdait jamais son sens de l'humour. Au tour de Claire d'être prise en défaut, et elle l'acceptait de bonne grâce. Mais elle avait vraiment entendu quelque chose et cette voix, elle en était sûre, n'avait pas dit son dernier mot.

— À propos, demanda Zoé retrouvant sa bonne humeur, qu'est-ce qu'il t'a chuchoté à l'oreille ? À moins que ce ne soit trop intime...

— Si tu veux vraiment savoir, il s'est plaint. D'après ce que j'ai compris, il souffrait de constipation chronique, d'arthrite, et il avait toujours envie de faire pipi.

— Sans doute son enfance en Suisse. Non, sans blague, la constipation est une maladie très répandue chez les Helvètes. Je viens de lire un article là-dessus dans un de mes canards professionnels. L'auteur citait Cocteau, qui a écrit des choses extraordinaires sur les expériences érotiques de Rousseau à dix ans. Rousseau, les culottes baissées, aurait reçu une fessée d'une de ses institutrices. Je te cite de mémoire ce que Cocteau a écrit : « Le derrière rouge de Jean-Jacques était le soleil levant de Freud ». En d'autres termes, les écrits de Rousseau annonçaient la psychanalyse. Ma connaissance du philosophe s'arrête là. Ça te soulage ? Oh, quelle journée merveilleuse ! J'ai envie de m'allonger sous un arbre et tant pis pour la promenade. Tu viens avec moi ?

Claire éclata de rire et confessa qu'elle avait eu très envie de faire l'amour tout à l'heure, au milieu du champ de colza en fleurs.

— Extraordinaire, dit Zoé en soupirant. Même au début de ma relation avec Simon, je n'avais pas autant d'audace.

Elles traversèrent une série de petits ponts et soudain, s'ouvrit devant elles un imposant paysage composé de vieux arbres ployés au-dessus de ruisseaux, de grottes artificielles, de cascades et de folies. Au tournant d'un sentier, elles virent Marcel qui se reposait sur une pierre.

— Pas un mot sur notre conversation, chuchota Claire à l'oreille de Zoé.

— Bien sûr, ma chérie, promit Zoé. Ce sera notre secret, mais à condition que tu me dises tout.

Marcel vint les saluer.

— Deux nymphes des bois rieuses volant à mon secours ! Je n'aurais pas eu la force de continuer seul. Et puis, personne n'a remarqué mon absence. Ils auront continué sans même une pensée pour moi. Auriez-vous l'obligeance de me prêter votre soutien pour la montée ?

La perspective d'avoir à pousser la lourde carcasse de Marcel au sommet de la côte les fit frissonner.

— Non, non, leur dit-il en voyant leur expression médusée. Je parlais plutôt de soutien moral, c'est-à-dire de votre agréable compagnie. Attendez, donnez-moi une minute que je reprenne mon souffle.

— Et si vous retiriez votre cache-col ? Vous auriez peut-être moins de mal à respirer, proposa Zoé. Il fait chaud maintenant.

— Quelle douce attention, ma belle Zoé, mais, voyez-vous, je suis asthmatique.

— Je ne comprends pas.

— Je sais ce que réclame mon pauvre corps. Et dans ce cas, le cache-col est essentiel.

— Comme une doudou, chuchota Zoé à l'oreille de Claire, ce qui les fit pouffer toutes les deux.

— Les nymphes des bois se moquent toujours des bizarreries des mortels. Dites-moi donc quels secrets vous ont fait rire tout à l'heure avant que je ne me trouve au centre de votre espièglerie ? Je vous ai vues fort joyeuses sur le chemin.

— Eh bien, nous nous interrogions sur la vie sentimentale de Rousseau, répondit Claire, qui n'était pas mécontente de taquiner Marcel avec la complicité de Zoé.

— Un sujet tout à fait approprié pour une journée pareille. Saviez-vous que le jeune Rousseau était si timide que cela le rendait impuissant ? Pas au sens vulgaire du terme, bien entendu. Physiologiquement, son membre répondait avec la prévisibilité caractéristique du réflexe mais, en présence d'une femme qu'il adorait, il était immédiatement terrifié. Je le comprends ! Comme moi, plutôt se trouver en compagnie de deux femmes que seul pour en affronter une. La conversation était plus aisée en présence d'une tierce personne parce que cela rendait plus improbable l'éventualité d'une aventure érotique avec son aimée.

— Vraiment ? Pas de ménage à trois ?

— Ma pauvre Zoé, vous êtes le pur produit de votre époque. Rousseau était un garçon simple, élevé par des puritains bornés.

En bon fils de protestants suisses, je sais de quoi je parle. La femme était donc objet d'amour et d'exaltation, et non le réceptacle de la luxure. Pour cela, Jean-Jacques se servait de ses mains de paysan. Il était à mille lieues d'imaginer que puisse exister la perversion sexuelle. Il a fallu tout le talent d'une femme plus âgée que lui pour qu'il découvre la sensualité et se transforme en libertin. Je n'ai malheureusement pas eu la chance de rencontrer aussi généreux professeur et je crains d'être encore à l'étape du développement de Rousseau où il laissait à la femme toute l'initiative.

Marcel avait pris la pose du séducteur. Claire et Zoé rirent ouvertement.

— Pensez ce que vous voulez, je vous assure que c'est tragique. La révolution sexuelle m'a complètement oublié. Et depuis l'arrivée du sida, c'est trop tard. Heureusement, le célibat est plus agréable avec l'âge.

— Désolée, mais ne comptez pas sur nous pour élaborer, coupa Zoé.

Elles ralentirent le pas pour que Marcel ne se sente pas en reste. Il peinait dans la côte et l'effort l'empêchait de parler. Ils gravirent tous les trois lentement le sentier.

Au sommet, ils retrouvèrent les autres autour des ruines d'un temple dorique. On buvait les paroles d'Adrian, qui leur fit signe de la main et attendit qu'ils soient assez près pour poursuivre.

— Le temple n'a jamais été achevé, et c'est un choix délibéré, dit-il, puisqu'on a voulu exprimer ainsi l'idée que la philosophie n'atteint jamais la raison pure qui motive sa recherche. Vous avez devant vous une très belle illustration de l'éclectisme romantique…

Claire n'arrivait pas à s'intéresser à ces propos. C'était la faute du vieil homme. Elle le sentait tout près, se moquant du discours d'Adrian. « Comment peut-il vous ignorer ? » chuchota la voix juste à ce moment-là. Claire frissonna de plaisir et, d'instinct, fit quelques pas en arrière. La voix s'amplifia. « L'expérience des sens, l'accélération du rythme cardiaque, la sensation d'un corps chaud — ceci vaut tous les temples du monde. »

Le vieil homme soupira si profondément que Claire put presque sentir son souffle caresser sa peau. Cela lui redonna du courage. Si c'était vraiment une voix intérieure, comme Zoé le prétendait, alors pourquoi ne pas en faire ce qu'elle voulait? Marcel venait de les entretenir de la vie érotique de Rousseau, qui n'avait jamais fait partie de l'enseignement de Dolly. Comme elle s'y attendait, la voix se manifesta de nouveau. « Les femmes ont été le véritable bonheur de mon existence. Quelle que fût ma sagesse, je la dois à la nature et aux femmes qui, par la délicatesse de leur toucher, par leur chaleur et leur générosité, m'ont appris tout ce que je sais. Elles m'ont instruit de manière plus convaincante que ne l'aurait fait un tyran dans une salle de classe. »

Le vieil homme resta silencieux un moment, en hommage peut-être à ses lointaines maîtresses. « Un jour, entre Chambéry et Montpellier, reprit-il, la voix chargée d'émotion, j'ai emprunté un carrosse avec une dame plutôt quelconque et assez costaude que la jeunesse avait depuis longtemps quittée. Je choisis de l'ignorer, lui préférant le livre que je tenais dans les mains. J'ai honte d'avouer que je n'éprouvais aucune curiosité pour ma compagne et ne ressentais aucun besoin d'échanger les traditionnelles formules de politesse. Par conséquent, c'est elle qui fit toutes les avances, usant de l'expérience de ses cinquante ans pour attirer mon attention. Elle atteignit son but et je posai l'ouvrage. Si je n'avais pas fait confiance au toucher de sa main, j'aurais quitté ce monde sans connaître la plus exquise des ivresses sensuelles, que l'apparence peu avenante de ma compagne dissimulait. Durant cette brève rencontre, nous avons connu et partagé une extase qui m'a réchauffé le cœur jusqu'au jour de ma mort. »

Claire connaissait cette histoire, elle l'avait lue quelque part, mais l'entendre racontée par cette voix lasse et chevrotante la remplit d'étranges sensations. Elle, qui travaillait avec les images, avait toujours cru que les mots, les mots justes, étaient incroyablement plus érotiques. Elle se souvint alors d'un de ses amants, un homme qu'elle n'avait pas particulièrement aimé mais qui, au lit, savait exciter ses sens par la puissance imaginative de sa faconde, à tel point que la relation avait duré bien au-delà de son désir d'y mettre fin. Rousseau était peut-être ce genre d'amant que les femmes mariées se dénichaient lorsqu'elles voulaient rester mariées.

— Ça va ?

Claire sentit une main sur son bras. C'était Simon. Les autres marchaient plus loin.

— Tu viens ? demanda-t-il. Tu sembles complètement perdue dans tes pensées. Je craignais de te déranger. De toute façon, il fallait que je m'arrête. Pas génial de porter de nouvelles chaussures. Allez, on va essayer de les rattraper avant qu'ils ne s'inquiètent.

Simon paraissait d'humeur moins maussade et Claire espérait que cela dure tant qu'ils seraient seuls.

— Je serais étonnée qu'Adrian se rende compte de mon absence, dit-elle pour le distraire de ses soucis. Disons qu'il est plus attiré par les objets inanimés en ce moment.

— Qu'est-ce que tu racontes ? Tu as l'impression qu'il te néglige ? répondit Simon, qui mordait à l'hameçon. Mais ma chère, c'est inhérent au mariage ! C'est d'ailleurs un des aspects du statut marital que je chéris. C'est tellement rassurant de pouvoir tenir quelqu'un pour acquis et vice-versa. Il y a des soirs où Zoé est plongée dans ses mots croisés pendant que je lui décris un événement qui s'est passé au ministère. Je sais pertinemment qu'elle n'entend à peu près pas ce que je lui dis et ça me remplit de tendresse de la voir absorbée, la tête ailleurs. Ça prouve qu'elle est vraiment détendue avec moi quand on est seuls. Elle passe ses journées à écouter ses patients, sans compter qu'elle a dû m'entendre me plaindre des milliers de fois des mêmes choses. Alors, cette routine du soir me rassure. C'est un peu comme retrouver son chemin dans le noir pour aller aux W.-C. Je sais exactement où sont les obstacles : la porte, le canapé, le guéridon avec le vase, la lampe qui fait un drôle d'angle. Inutile d'allumer pour savoir où on va. Le mariage c'est ça, un terrain qu'on connaît bien sur lequel on navigue au radar.

Claire éclata de rire. Simon n'avait rien perdu de sa verve.

— Je suis très sérieux, Claire, reprit-il, d'un ton qui se voulait grave. À partir du moment où tu acceptes que la léthargie affective gagne la plupart des mariages réussis, tu n'as plus de souci à te faire. Fini les sentiments — ça au moins c'est réglé —, tu es désormais libre de t'occuper d'autre chose. Adrian pense évidemment à son prochain livre. J'irais même jusqu'à dire que si Adrian te délaisse en ce moment à cause de son bouquin — n'oublions pas qu'il doit se battre avec le fantôme du succès de son précédent ouvrage — c'est qu'il est sûr de son amour pour toi.

Simon avait absolument raison. Il valait mieux l'écouter que se laisser séduire par une voix bizarre. Comment en vouloir à Adrian quand sa propre instabilité déformait les choses ? Elle voulut changer de sujet.

— Oh, regarde comme c'est charmant ! dit-elle en montrant une cabane au loin.

La végétation luxuriante avait cédé à un paysage de sable, de rochers et de bosquets de pins sylvestres. À droite, un sentier abrupt menait au sommet d'une colline où une maisonnette de pierre se dressait près d'un affleurement rocheux. Le groupe attendait au pied de la colline. Adrian photographiait la maison pendant que Marcel, à l'écart, photographiait Adrian. Pour la première fois ce jour-là, Claire sortit son appareil et photographia Marcel qui photographiait Adrian qui photographiait la chaumière. En appuyant sur le déclic, et en dépit de sa résolution, elle ne put s'empêcher de penser qu'elle assistait à l'aventure amoureuse de l'heure.

En relevant la tête, elle vit Gilbert courir dans le sentier, agile comme un chamois.

— L'Afghanistan, murmura Simon.

Au sommet, Gilbert leur envoya la main et, curieusement, alluma une cigarette. Zoé, trop contente de relever le défi, suivit Gilbert au même pas de course. Claire n'en fut pas étonnée, pas plus d'ailleurs que Simon ne fasse pas de même. Avec son teint clair et ses formes replètes, il n'était pas à son meilleur dans les activités sportives.

— Eh bien, mes enfants, lança-t-il à la cantonade, moi je ne bouge pas.

— Je reste avec toi, proposa Claire.

— Non, non, protesta Simon. Il faut monter. C'est la maison que le marquis a construite pour Rousseau, la cabane du philosophe, un lieu de pèlerinage depuis le dix-huitième siècle. Qui sait quand tu pourras y revenir ?

Elle fut la dernière à monter. « Cette maison primitive perchée au sommet d'une colline convient mieux à un jeune homme aventureux qu'à un vieux philosophe », se dit-elle. Marcel affirma que Rousseau n'y avait jamais vécu :

— Il servait plus ou moins d'ermite décoratif. Pour la noblesse, à cette époque, tout homme respectable rêvait d'en avoir un à sa disposition. Rousseau a préféré à la cabane une maison plus confortable près du château. Il n'est monté ici que le jour de sa mort, le 2 juillet 1778, avant de succomber à une hémorragie cérébrale. Ceci prouve que les êtres supérieurs, comme nous d'ailleurs, meurent d'une mort ordinaire.

— Que voulez-vous dire par une mort ordinaire ? demanda Gilbert en ne s'adressant à personne en particulier. J'ai vu des milliers de gens mourir. Il n'y a rien d'ordinaire dans la mort, quelle qu'elle soit. C'est un spectacle auquel on ne s'habitue jamais.

Secoué par les paroles du bon docteur, Marcel se laissa tomber près de Claire.

— Un homme extraordinaire, chuchota-t-il à son oreille. J'ai une grande admiration pour lui.

Claire n'aurait pas pu dire s'il parlait de Rousseau ou de Gilbert. Soudain, Adrian fut à ses côtés. L'air pur et la promenade lui avaient redonné des couleurs. Claire le trouva très séduisant.

— Tu m'as manqué, murmura-t-il doucement. Où étais-tu passée ?

Ce n'était pas le moment de lui parler de la voix.

— J'étais là. Je te suivais comme un chien fidèle, dit Claire, qui regretta aussitôt ses paroles quand elle le vit froncer les sourcils.

— Franchement, Claire, qu'est-ce qui ne va pas ? Tu as passé ton temps à aller et venir, et même quand tu étais là, tu n'étais pas là.

— Étrange. J'ai le même sentiment en ce qui te concerne.

Interloqué, il la regarda droit dans les yeux :

— Encore une fois, tu me trouves ennuyeux. C'est ça ?

Elle voulut plaisanter pour détendre l'atmosphère.

— Qu'est-ce que ça peut te faire ? L'auditoire est littéralement accroché à tes lèvres. Et puis, il y a Marcel.

Claire avait complètement raté son coup.

— Alors tu me fais payer le fait que je te néglige ? rétorqua Adrian.

— Tu me négliges ?

En continuant à jouer, parce que c'était un jeu et qu'il n'y avait pas une once d'amertume dans sa voix, elle se souvint que c'est précisément cela qui l'avait attirée chez Adrian. Elle s'était dit à l'époque qu'un homme comme lui, qui se consacrait entièrement à son travail, ne permettrait jamais que des insignifiances lui gâchent la vie. Elle avait bien appris la leçon de Dolly et y croyait encore.

— Je comprends que tu te sentes délaissée. Je te promets d'être plus attentif.

Claire revit une fois de plus le champ de fleurs jaunes, mais il était trop tard.

— Ça va, je t'assure, dit-elle en glissant son bras sous le sien. Je suis un peu jalouse de Marcel, c'est tout, ajouta-t-elle d'un ton enjoué. Il n'a pas arrêté de te regarder pendant toute la journée. On ne peut pas lui en vouloir.

— Tu es une vilaine, vilaine femme, dit-il.

Il était de nouveau lui-même, détendu. Satisfaite, Claire lui serra la main très fort.

— Vilaine et forte. La femme dont j'ai toujours rêvé.

Chapitre 9

ILS SE SCINDÈRENT EN DEUX GROUPES au moment de partir. Zoé, Simon et Marcel prirent place dans la voiture de Sophie. Claire et Adrian accompagnèrent Gilbert et Anne-Marie. Ils devaient se retrouver chez les parents de Sophie pour le café avant de rentrer en train à Paris.

Plutôt que d'aller directement à la maison, Gilbert leur fit faire un tour rapide des environs. Il s'arrêta brusquement devant le portail d'une imposante demeure de pierre.

— Un médecin de campagne doit prendre soin de tout le monde, dit-il à l'intention des passagers. Le comte de Guersaird possède ce château et vit à Paris, mais sa mère la comtesse habite ici avec Thomas et Mathilde, un vieux couple de serviteurs. J'ai pensé que cela vous plairait de faire sa connaissance et de visiter la propriété. Les jardins auraient été aménagés par André Le Nôtre, le plus grand des paysagistes français, celui qui a conçu ceux de Versailles, comme vous n'êtes pas sans savoir.

— Et les autres? Ils nous attendent, non? protesta Anne-Marie de sa voix douce.

Gilbert courait déjà dans l'allée circulaire qui menait à la maison. Claire soupçonnait Anne-Marie de se défendre contre l'impulsivité de son mari en affichant un calme olympien. En effet, Gilbert traversait les continents avec autant d'aisance que d'autres la rue.

Il réapparut quelques minutes plus tard et leur fit signe de le suivre. Dans une petite pièce mal éclairée aux murs couverts de portraits richement encadrés, ils firent la connaissance de la vieille comtesse.

Dans la semi-obscurité, elle était si impressionnante que Claire fut obligée de faire un effort pour s'en détourner. La comtesse, une petite bonne femme d'environ quatre-vingt-dix ans, était maquillée comme un clown. Des lignes turquoise ombrageaient ses paupières, entouraient ses yeux, soulignaient ses sourcils, coloraient le ruban dans ses cheveux roux éclatants ; deux pastilles rouges rehaussaient ses pommettes et un trait carmin dessinait le contour approximatif de ses lèvres. Elle était vêtue de noir, ce qui contrastait violemment avec les couleurs vives de son visage.

— Comme c'est gentil d'être venus, dit-elle en les accueillant comme des invités, la vie à la campagne est parfois si monotone.

Claire eut immédiatement envie de la photographier, dans cette pièce à l'opulence baroque mais fanée qui encadrait si merveilleusement l'extravagance du personnage. Il était trop tôt pour demander. L'occasion se présenterait peut-être plus tard.

Gilbert et Anne-Marie bavardèrent avec la comtesse des derniers potins, puis Adrian et Claire furent invités à visiter les salles de réception.

— C'est un vieux château comme on en trouve plusieurs dans la région. Pas en très bon état, malheureusement, mais c'est une nouveauté pour vous, non ?

Ils déambulèrent dans une succession de pièces, grandes et petites, où s'entassaient des vases richement ornés et des bronzes représentant surtout des chiens et des chevaux. Les murs étaient couverts de toiles sombres, de tapisseries fanées et de fusils de chasse. Claire s'interrogeait. La comtesse opposait-elle au décor terne des pièces son extravagante apparence pour s'en distinguer ?

Le « salon intime », comme la comtesse désigna l'endroit où elle les avait retrouvés, était beaucoup plus fantaisiste que les autres pièces.

— Venez par ici, ma chère, et laissez-moi vous regarder un peu, dit la comtesse d'une voix étonnamment forte, en s'adressant à Claire. On me dit que vous êtes photographe, ajouta-t-elle, en l'invitant à s'asseoir à ses côtés. J'ai moi-même un peu touché à cet art quand j'étais jeune, mais en amateur, bien sûr. À mon époque, les jeunes femmes n'avaient d'autre choix que l'amateurisme. Papa aimait bien s'entourer d'artistes et un jour il a ramené à la maison monsieur Jacques-Henri Lartigue. Vous avez certainement entendu parler de lui? Enfin, ce monsieur a eu la gentillesse de me faire quelques compliments sur mes modestes compositions photographiques. À mon âge, je tremble tellement au point de ne plus pouvoir tenir un appareil dans mes mains.

La comtesse tendit alors les bras pour le prouver. Claire remarqua les bagues à chaque doigt et ses ongles du même carmin vif que ses lèvres.

— Oh, ce ne sont que des copies! dit-elle en suivant le regard de Claire. J'ai vendu les originaux il y a longtemps. Cette maison exige des sacrifices. Il y a toujours quelque chose à réparer. Et j'ai besoin de mes parures, même si elles sont fausses. Quand la beauté disparaît, l'excentricité est un substitut convenable.

La comtesse posa les mains sur ses genoux et lissa sa robe, qui aurait eu besoin d'un bon brossage.

— Je serais curieuse de savoir ce que vous pensez de mes photographies. Les jardins du château avaient ma préférence. Le bon docteur vous aura dit qu'ils ont été dessinés par Le Nôtre. Gilbert a beau être gauchiste, ça n'enlève rien à son côté snob.

— Je serais ravie de voir vos photos, mais nous rentrons à Paris ce soir.

— Alors, revenez me voir. Je suis presque toujours seule. Mon fils vient avec sa famille un week-end sur deux. N'allez pas penser que je crains la solitude, mais une visite de temps à autre rompt la monotonie. Thomas, mon chauffeur, ira vous chercher à la gare. Nous prendrons le thé et vous pourrez feuilleter mes albums.

— Cela me semble tout à fait possible.

— Bien. Voici ma carte. Vous me préviendrez, pour le train. Non monsieur, je ne vous invite pas cette fois, dit-elle à l'adresse d'Adrian qui venait les retrouver. Vous serez le bienvenu un autre jour. On m'a dit que vous vous passionniez pour les jardins. Cela vous plairait de voir le domaine ? Je vous propose une visite éclair des plus beaux endroits. Panorama garanti quatre étoiles.

Adrian répondit qu'ils étaient attendus et qu'ils avaient un train à prendre. La comtesse insista, promit qu'ils arriveraient à temps à la gare.

— J'aurais pourtant juré que les Nord-Américains aimaient faire les choses à toute allure, dit-elle en les entraînant vers les jardins.

Juchée sur un coussin brodé qui élevait sa tête au-dessus du volant, la comtesse, comme promis, les conduisit à travers le domaine à une vitesse folle qu'aurait pu lui envier Gilbert. À tout moment, elle freinait brusquement pour que les invités apprécient un paysage pittoresque — une perspective dans les bois qui révélait un nouvel angle du château, un ornement architectural au milieu d'une clairière, un ruisseau sillonnant entre des massifs d'iris sauvages. Elle redémarrait quand Adrian avait pris la photo.

— Inutile de sortir de la voiture, lui dit-elle. Je la gare de manière qu'il ne vous reste qu'à faire la mise au point.

La comtesse donnait ses directives et Adrian obéissait de bonne grâce. Claire ne pouvait imaginer qu'on n'obéisse pas à la comtesse, si menue soit-elle.

Elle tint sa promesse et ils furent au château en moins d'une heure. Au moment des adieux, elle prit Claire à part et renouvela son invitation avec insistance. Claire était flattée de l'intérêt que la vieille dame lui portait. Elle s'engagea à revenir très vite.

— Qu'est-ce que c'est que tout ce cinéma ? demanda Gilbert quand ils furent dans la voiture.

— La comtesse m'invite à revenir. C'est tentant. J'aurais bien pris une photo d'elle.

— Faites-le, dit Gilbert, derrière son volant. C'est un personnage fascinant qui a eu une vie passionnante. Elle est très vieille France, une des dernières représentantes d'une certaine société française qui est en train de disparaître complètement. Vous avez de la chance de lui avoir plu.

— Elle plaît à tout le monde, ajouta Adrian en passant un bras autour de Claire. Et personne ne résiste à son objectif. Je sais de quoi je parle.

— Vous avez aimé les jardins ? lui demanda Gilbert.

De toute évidence, Marcel lui avait parlé de ses recherches.

— Ils sont très beaux, mais ce n'est pas ce que je cherche pour le livre. Je m'intéresse surtout aux grands jardins qui ont préservé leur agencement d'origine. Dans le cas de ceux de la comtesse, j'ai bien peur qu'il ne reste pas grand-chose du plan original de Le Nôtre.

Claire poussa un soupir de soulagement. Si elle revenait, comme la vieille dame l'en avait priée, elle aurait les jardins à elle toute seule.

Les autres attendaient à la maison. Marcel parut contrarié quand il apprit d'où ils venaient. Une pointe d'irritation dans la voix, il annonça qu'ils avaient raté le train et que le prochain départ n'était pas prévu avant deux heures.

Les pâtisseries achetées à la hâte à midi dissipèrent sa mauvaise humeur. Il leur servit une leçon sur l'origine de chacune — religieuse, vacherin, madeleine, millefeuille —, au fur et à mesure qu'elles disparaissaient dans sa bouche.

La journée avait été bien remplie. Marcel mobilisait le plateau et l'attention générale. Profitant du silence des autres, il extirpa de son gros cartable râpé une édition en lambeaux des *Rêveries.*

— Je pense que ces quelques mots du philosophe seraient une excellente façon de terminer la journée, dit-il, avant de commencer à lire : « De toutes les habitations où j'ai demeuré (et j'en ai eu de charmantes), aucune ne m'a rendu si véritablement heureux et ne m'a laissé de si tendres regrets que l'Isle St Pierre au milieu du lac de Bienne. »

Tout le monde écoutait, séduit par la voix pure et mélodieuse qui caressait la prose de Rousseau, toujours aussi vivante plus de deux siècles après sa mort. La remarquable description de l'île et l'évocation de son existence idyllique sur cette île sonnaient comme un conte de fées — un conte de fées des temps modernes. Dehors, le monde naturel ployait peut-être sous la menace mais, dans les paroles de Rousseau, on entendait la promesse rassurante d'un paysage paradisiaque en équilibre perpétuel.

L'étrange petite comtesse, dans son vaste château déserté, appartenait à ce conte de fées, se dit Claire. Quelle étonnante, quelle merveilleuse journée ! Elle la devait à Marcel, qui avait failli tout gâcher le matin avec son sale caractère ! L'idée de lui en être reconnaissante la fit sourire. Cela avait de quoi surprendre dans cette journée pourtant déjà riche en surprises.

Chapitre 10

Claire et Adrian vivaient maintenant chez Marta.

Adrian avait hésité avant de quitter le petit studio que Marcel leur avait trouvé près de la Bibliothèque Forney où il passait ses journées plongé dans les recherches pour son livre. Claire avait insisté : ils feraient des économies et ils disposeraient de plus d'espace dans le grand appartement de Marta. De plus, la rue était calme, ils n'auraient plus à souffrir de la circulation et des vibrations incessantes du métro. Elle ne dit mot de l'espoir qu'elle caressait de soutirer à Marta des confidences sur le passé de sa mère. Elle y parviendrait plus facilement en vivant avec elle sous le même toit.

Adrian aimait beaucoup Marta et comprenait que Claire lui soit attachée. Claire savait cependant qu'il n'approuverait pas ses incursions dans le passé de Dolly. Adrian passait des heures à fouiller la vie des gens dans des documents anciens, parfois très intimes, mais lorsqu'il ne s'agissait pas de travail, il était d'une discrétion absolue. Ceci expliquait en partie pourquoi, malgré toutes les questions qu'elle avait posées sur la fameuse Pamela Porter, Claire ne savait pas grand-chose de leur vie commune. Elle aurait aimé connaître les faiblesses de cette femme qui semblait si parfaite, mais devant les réponses évasives d'Adrian elle y avait renoncé. Contrairement à certains amants qu'elle avait connus, Adrian n'en voulait pas à sa première femme. Claire finit par l'apprécier.

Les réticences d'Adrian l'obligèrent à réfléchir sur le bien-fondé de son entreprise. Jusqu'où les enfants pouvaient-ils aller dans le dévoilement des secrets de leurs parents ? Les lettres d'un père ou d'une mère étaient-elles plus sacrées que la correspondance entre un peintre célèbre et sa maîtresse ? Ses interrogations étaient soumises au climat moral de l'heure. La société reconnaissait aux enfants adoptés le droit de chercher leurs parents naturels. Quelle que fût la sagesse populaire, Claire était persuadée de la validité de sa quête : arracher aux morts leurs secrets constituait une sorte de triomphe contre l'indifférence du temps. Quand Claire mourrait, qui se préoccuperait des secrets de Dolly ?

Ce sentiment d'urgence n'était pas seulement nourri par une banale curiosité. L'image de la désintégration de sa mère l'avait cruellement fait souffrir à l'adolescence. Elle lui était revenue de manière brutale avec ses propres crises — celles qui la faisaient fuir pour ne pas mourir, comme une bête traquée, fuir un métier qu'elle aimait pourtant. Existait-il un lien causal entre ses difficultés et celles de sa mère ? Elle n'en était pas sûre, mais si elle arrivait à comprendre le déclin de Dolly peut-être découvrirait-elle les raisons de sa propre fragilité. Elle s'accrochait à cet espoir comme à un talisman. Elle y croyait et cela la réconfortait. Il ne fallait surtout pas lâcher.

L'appartement de Marta était situé dans une petite rue médiévale près de la place de la République et pouvait aisément accommoder Claire et Adrian. Au fil des ans, Marta avait accumulé des montagnes de livres, de journaux, de magazines, de documents traduits par elle, de dossiers de correspondance, de cadeaux qu'elle n'utilisait pas, sans parler du bric-à-brac dont elle avait comblé les pièces laissées vides par le départ de sa fille Louise et la mort de son bien-aimé Bruno. Il fallait maintenant faire de la place pour le couple. Claire et Marta travaillèrent côte à côte pour dégager deux pièces. Adrian aurait voulu les aider, mais Claire, jalouse de son intimité avec Marta, l'en avait dissuadé.

Marta ne se montrait pas troublée par ces bouleversements. Au contraire, elle semblait déplorer de ne pas avoir plus de temps à consacrer à ses invités. Claire et Adrian s'empressèrent de la rassurer : cet arrangement leur convenait parfaitement. Ils préféraient cette liberté à l'obligation de se conformer à des horaires pour les repas. Marta convint qu'elle aimait aussi qu'on la traite avec un minimum d'égards quand elle se trouvait en vacances chez des amis. Elle s'engagea toutefois à organiser un déjeuner avec la famille de sa fille dès qu'elle serait plus libre.

« Ne compte pas là-dessus », dit Claire à Adrian. Elle connaissait les mille et une activités quotidiennes de Marta. En ce moment, elle courait d'un rendez-vous à l'autre chez des fonctionnaires fuyants, en prévision de ses rencontres avec les agents du fisc. Cela se soldait par des tas de formulaires à remplir que d'autres bureaucrates récalcitrants devaient à leur tour estampiller. De plus, la santé précaire de ses innombrables amis l'amenait à rendre visite à l'un et à remonter le moral de l'autre.

Son amie Gertrude, de plus en plus affectée par la maladie de son mari, l'appelait tous les jours, mais son petit-fils restait sa plus grande source d'inquiétude. Les parents d'Antoine étaient si exaspérés par son oisiveté qu'ils menaçaient de le mettre à la porte. Marta parlait sans arrêt d'Antoine, cherchant conseil auprès de Claire et Adrian sur un moyen de motiver le jeune homme : « Il faut que je lui fasse confiance, disait-elle. Je suis la seule à croire en lui. Si seulement je pouvais l'aider à sortir de sa coquille. » Marta prétendait qu'Antoine était vaguement intéressé par les arts. À preuve, il avait déniché une obscure publication sur les travaux d'Adrian. Elle le supplia de s'entretenir avec le jeune homme. Adrian promit de l'aider.

Henri venait souvent les voir. Il en profita un jour pour presser Marta d'emménager avec lui sous prétexte que, en laissant l'appartement à ses amis, elle n'aurait pas à s'inquiéter de leur faire de la place. « Mais je veux leur donner un coup de main, dit-elle. Qu'est-ce que c'est que cet hôte qui abandonne ses invités à leur sort ? » Quand Henri fut parti, Marta avoua qu'elle détestait son appartement. Il habitait le dixième arrondissement, un quartier trop tranquille, désert la nuit, selon ses dires. Et puis, c'était tellement encombré chez lui qu'elle étouffait rien qu'à l'idée d'y passer du temps. Henri était prêt à emménager avec elle où bon lui semblerait, en banlieue de préférence et dans une maison moderne mais, pour Marta, l'idée de se transformer en « petite vieille qui entretient son jardin en banlieue » était insupportable.

Que Marta emménage avec Henri semblait aussi improbable que l'organisation du fameux déjeuner en famille, se dit Claire. « Il n'y a pas que le choix de l'endroit où on pourrait vivre, avait poursuivi Marta, on est en désaccord sur à peu près tout. Ses opinions politiques me tuent. Il faisait pourtant partie de notre cercle progressiste quand on était jeunes. J'avais l'habitude de le retrouver avec sa femme — une bonne amie — à toutes les manifestations et à tous les meetings auxquels nous participions, Bruno et moi. Aujourd'hui, il s'abrite derrière son conservatisme et il est inutile d'en discuter avec lui. J'essaie d'éviter les sujets politiques. Je ne peux pas m'empêcher de me sentir coupable chaque fois que je pense à Bruno. Cette culpabilité, je l'éprouve davantage pour les opinions politiques d'Henri que pour le fait que j'aie un nouvel homme dans ma vie. Ça en dit long sur mon mariage avec Bruno ! »

Marta se confiait à Claire et laissait Adrian à ses recherches dans l'ancienne salle d'étude de Bruno. Quand Adrian n'était pas à la bibliothèque, il étalait livres et documents sur le vieux bureau d'acajou. « C'est agréable de voir que la pièce peut encore servir », dit Marta. Claire ne pouvait qu'approuver. Adrian n'avait jamais rencontré Bruno, mais de le voir travailler dans la pièce où ce dernier avait passé tant d'heures, protégé par Marta de l'agitation extérieure, la remplissait de joie. Cette protection s'étendait maintenant à Adrian.

Tout compte fait, Adrian était satisfait du changement. Quel soulagement, confia-t-il à Claire, de ne pas avoir à tout ranger le soir comme dans le studio, où il travaillait sur la table de la salle à manger. Claire avait raison, c'était plus tranquille chez Marta. Il dormait mieux depuis qu'ils y avaient emménagé. Marta était discrète et la disposition des pièces — les chambres à coucher étaient situées chacune à une extrémité de l'appartement — avait vite eu raison de ses inquiétudes. Leur intimité préservée, cela avait favorisé les moments de solitude qu'ils prisaient tous deux. Marta était souvent absente quand ils se réveillaient ou déjà couchée à leur retour. Ils rentraient tard et cela ne la dérangeait pas. Pour lutter contre l'insomnie, elle prenait des cachets qui la plongeaient dans un profond sommeil dont rien ne pouvait la tirer.

Claire n'avait aucun mal à trouver le sommeil dans l'appartement de Marta. Pour une raison qui lui échappait, elle dormait plus que d'habitude et se réveillait souvent fatiguée. Elle aurait voulu installer une chambre noire de fortune dans le dressing équipé d'un évier, mais n'avait encore rien fait. Tant pis, elle n'était pas à Paris pour travailler. Elle se sentait si languide que la vie de Marta lui paraissait extraordinairement mouvementée, ce que cette dernière semblait apprécier. Claire décida un jour de secouer sa torpeur et s'offrit à faire les courses. Marta commença par protester en s'accusant d'être une piètre hôtesse, mais Claire l'assura qu'elle adorait se rendre le matin au marché de la rue de Bretagne. Quand elle avait une famille à nourrir, Marta s'y procurait tous les produits de la ferme. Elle se contentait maintenant du Monoprix.

Claire surveillait les allées et venues de la vieille dame et s'arrangeait pour être là quand elle s'y trouvait. Marta faisait de son mieux pour satisfaire sa curiosité en racontant des tas d'anecdotes sur sa relation avec Dolly. Claire écoutait attentivement, même si Dolly lui en avait déjà rapporté plusieurs. Elle voulait tout savoir, chaque miette d'information, si ténue soit-elle, pouvant contenir un indice qui la conduirait à la vérité.

Un matin, en se servant un pain au chocolat que Claire avait rapporté de la boulangerie du marché, Marta aborda un sujet dont il n'avait jamais été question entre Dolly et sa fille.

— D'une certaine façon, j'ai toujours envié ta mère, dit Marta sur un ton de défi, comme si Claire s'était soudain transformée en sa doublure. Depuis le premier jour où je suis allée chez elle après l'école — tes grands-parents habitaient un triplex à Outremont — j'ai rêvé d'une mère comme la sienne, quelqu'un qui attend son enfant avec des petites douceurs et qui sait l'écouter attentivement quand il en a besoin. Mon père et ma belle-mère étaient plus riches que ses parents, à cause de la fabrique de meubles de papa, rue Masson, dans l'est de la ville, mais ils n'étaient pas aussi chaleureux. Je voulais que tes grands-parents m'adoptent. Je passais plus de temps avec Dolly que dans ma famille. Même en vieillissant, j'ai continué à l'envier. En apparence, j'avais toujours plus qu'elle : plus d'argent, plus de vêtements, j'étais meilleure en classe — sauf en arts, bien sûr —, j'étais meilleure athlète, d'ailleurs sans mon intervention, Dolly n'aurait jamais été choisie dans l'équipe sportive de l'école. Pourtant, je voulais tout ce qu'elle avait. J'aurais volontiers troqué mes vêtements coûteux contre les jolies robes que lui cousait ta grand-mère. Même chose avec les garçons. J'avais ma part de prétendants, mais Dolly semblait attirer les garçons les plus désirables.

L'expression de Marta en disait long. Claire s'étonna de tant d'amertume après tant d'années.

— Dolly m'a toujours dit que vous étiez très copines, que vous étiez inséparables depuis l'enfance.

— Bien sûr qu'elle t'a dit ça. Elle n'était absolument pas consciente de ce que je vivais. Et comme elle n'était pas jalouse, elle ne pouvait pas s'imaginer que les autres le soient. Je lui en voulais de ne rien me trouver qui lui fasse envie. Alors je la défiais, je la provoquais de mille et une manières toutes plus médiocres et vilaines les unes que les autres. Je me vantais de posséder des cartes de crédit de grands magasins, ou encore je faisais étalage de mes achats extravagants en espérant la blesser. Je n'y suis jamais arrivée. Même à cette époque, Dolly vivait dans son propre monde.

Claire comprenait le désarroi de Marta. Elle se rappelait à quel point l'indépendance de Dolly avait parfois été pénible pour ses proches.

— Et malgré tout ce que j'ai pu lui dire sur la fortune de ma famille, poursuivit Marta, c'est grâce à elle que je ne suis pas morte de faim plus tard. Je vivais à Paris et je ne pouvais pas demander d'aide à mon père, qui s'était fortement opposé à mon installation en France. Pour arranger les choses, avant de partir, j'avais pris un peu d'argent qu'il gardait à la maison. En bonne militante socialiste, j'avais décrété qu'il n'avait pas le droit d'être aussi riche. Je me suis dit que c'était une avance sur mon héritage. L'argent a vite été dépensé. Je ne trouvais pas de travail et le peu qui restait servait à payer la caution quand on envoyait Bruno en prison après une manifestation. J'ai demandé à ta mère de nous aider. Elle était fiancée à ton père et enseignait les arts plastiques. Elle a envoyé ce qu'elle pouvait et ton père s'est facilement laissé convaincre de nous aider. J'ai remboursé ce que je leur devais, mais je n'ai jamais oublié sa générosité. Après tout ce temps, j'avais enfin cessé de l'envier. J'étais amoureuse de Bruno, amoureuse de Paris, et Montréal me semblait bien petit.

La résurgence si naturelle de ces souvenirs était encourageante. Marta avoua que la présence de Claire facilitait les choses, ramenait des événements oubliés depuis des années, mais elle avait peu à dire des séjours de Dolly à Paris. Inutile de lui poser des questions directes. « Pourquoi veux-tu toujours parler de ces vieilles choses ? demandait-elle d'un air innocent. Le passé appartient au passé. On ne peut rien y faire. » Marta avait pourtant autant besoin d'en parler — du moins de certains épisodes — que Claire éprouvait la nécessité de le connaître. Les faits marquants du dernier séjour de Dolly lui reviendraient peut-être à la mémoire.

Quand elle ne discutait pas avec Marta, Claire disposait de plus de temps qu'il ne lui en fallait. Elle n'avait pas connu pareille oisiveté depuis des années. C'était à la fois agréable et troublant. Elle passait des heures à flâner dans la ville, dans des rues et des quartiers inconnus. Si une chose attirait son regard, elle prenait une photo comme tous les touristes croisés sur son chemin. Son appareil constituait jadis son instrument d'observation, l'autorisation d'explorer ce qui s'abritait derrière la surface de la normalité. Il semblait maintenant être devenu l'extension de son bras plutôt que le prolongement de son cerveau. Ce bras le soulevait nonchalamment et commandait le déclic. Quand Claire en avait assez de marcher, elle se reposait dans un café pour observer les passants. Les gens pressés, même les plus jeunes, semblaient porter le poids de la vie urbaine, comme s'il fallait payer cher ces rues surpeuplées et cette circulation intense.

Elle-même payait le prix de ses longues heures d'oisiveté. Elle se sentait de plus en plus éloignée de ses proches. Adrian, Marta, Zoé, tous étaient accaparés par le quotidien, par ces multiples obligations, insignifiantes en elles-mêmes, qui les enracinaient solidement et les liaient les uns aux autres. Elle échappait, au moins temporairement, aux contraintes du quotidien, mais cette liberté lui pesait.

Quand ça n'allait pas, elle se surprenait à envier les inquiétudes de Marta pour son petit-fils, l'épuisement de Zoé au terme d'une journée passée à écouter ses patients, les fiches qu'Adrian couvrait de sa fine écriture. Comparée à ces vies déterminées, la sienne flottait sans but dans la zone grise des journées indéfinies qui font errer les gens dans les rues quand ils ne s'installent pas au café pour regarder les autres s'agiter. Claire comprit alors à quel point elle avait toujours compté sur le travail pour donner un semblant d'ordre et de sens à son existence. Livrée à elle-même, qui sait où cela la conduirait ? Elle tardait à écrire la carte enjouée promise à Lucinda. Jusqu'à présent, ses recherches sur le passé de Dolly avaient été vaines. Et si ses soupçons s'avéraient aussi chimériques que la voix fantôme du philosophe ? Elle retournait souvent aux écrits de Rousseau, avec l'image de sa mère, riant doucement de la voir chercher du réconfort dans l'œuvre du grand pédagogue dont elle s'était jadis moquée.

Marta exigeait un rapport d'activités quotidien. Cela n'arrangeait pas les choses. « Tu ne t'ennuies pas ? » demandait-elle parfois à la fin du bref compte rendu de Claire. Ses reproches ne la gênaient plus comme avant, mais elle avait parfois envie d'inventer des itinéraires plus excitants pour lui plaire. Marta ne prisait pas non plus de la voir plongée dans la lecture de Rousseau : « Pourquoi perds-tu ton temps avec ce vieillard qui se vantait de sa misogynie ? Tu savais qu'il ne tenait pas compte des femmes dans sa réforme de l'éducation ? Ce n'est pas parce que Dolly était curieusement fascinée par Rousseau que tu dois faire pareil. » Claire prit l'habitude de cacher le livre à son regard.

Elle lisait *La Nouvelle Héloïse* dans le jardin du Luxembourg, quand elle vit un jour Marcel marcher dans sa direction. Elle avait abandonné sa lecture pour observer des enfants un peu tapageurs qui s'amusaient à attraper les anneaux de laiton sur les chevaux de bois du manège. Une silhouette massive à la démarche chaloupée était alors apparue au loin, reconnaissable entre mille. Claire aurait pu s'échapper, mais elle s'était dit que Marcel ferait diversion dans sa journée. Elle ne fut pas déçue. Après lui avoir serré la main, il commença immédiatement à se plaindre.

— Enfin, je peux m'asseoir! J'ai passé la matinée à Beaubourg et je suis éreinté. Chaque fois que je vais dans ce musée, avec ses tuyaux criards affreusement visibles, je suis saisi du mal de Beaubourg. Ne ris pas. C'est une affection très connue. On dit que c'est la faute des conduits électriques : la prise de terre a été mal faite. Ça te prend dans les genoux, tu vois, dit-il en se frottant les jambes.

Il vit le livre posé sur le banc.

— Je vois que tu t'intéresses toujours à ce barbare extravagant, dit-il en s'asseyant lourdement sur une chaise.

Plus nerveux que jamais, il paraissait incapable de contrôler ses mouvements : il déboutonna le col de sa chemise, se passa la main dans les cheveux, ajusta ses lunettes. Il ouvrit la bouche et se calma, usant de sa voix sonore à son avantage.

— J'espère que mon petit cadeau t'a permis de découvrir Rousseau. On ne le considère plus comme un grand romancier, il est trop sentimental et didactique pour mes contemporains, mais, à son époque, *La Nouvelle Héloïse* a été un puissant levier de changement.

Marcel dénoua son foulard, se trémoussa sur sa chaise pour trouver la posture idéale avant de poursuivre.

— Au dix-huitième siècle, alors qu'il était de bon ton de se moquer de la passion, de douter de la franchise, de sourire avec condescendance aux femmes qui professaient l'amour conjugal, un être à part est apparu : Rousseau, une sorte de fou avec des idées folles, qui prônait la passion, l'amour, le sentiment et la fidélité. À une époque où être civilisé était synonyme de pièces surchargées et de jardins rigoureusement dessinés, Rousseau obligea les Français à ouvrir grand leurs fenêtres et à admirer les paysages naturels. Paris était le centre du monde civilisé et cela n'a pas empêché Rousseau de retenir l'attention du monde avec un roman dont les personnages principaux rejetaient la civilisation française et trouvaient leur bonheur non seulement en dehors de Paris, mais en dehors de la France, sur les rives lointaines du lac Léman. Difficile d'imaginer un roman contemporain qui aurait cette portée. Bien sûr, à l'époque de Rousseau, il n'y avait pas les vidéoclips et d'autres merveilles technologiques du même genre...

Marcel élevait la voix au fur et à mesure qu'il approchait du point culminant de son récit. Autour, des gens l'écoutaient. « Il n'y a qu'à Paris, se dit Claire, qu'un homme peut rassembler des inconnus en faisant l'éloge d'un roman du dix-huitième siècle. » Dans des moments pareils, il était aisé de lui pardonner ses excès.

— On peut expliquer l'originalité de ses idées d'une façon assez perverse, poursuivit Marcel sans tenir compte de son nouvel auditoire, et qui voudrait que les théories de Rousseau soient le fruit d'une petite déficience physiologique. Il aurait exalté les bienfaits de la solitude et de la vie à la campagne parce qu'il avait toujours envie de pisser : environ deux cents fois par jour, de préférence à l'abri des regards. Après tout, plus jeune, quand le besoin se faisait moins sentir, il avait été attiré par Paris comme n'importe quel autre provincial ambitieux de son époque. La société française, qui considérait la conversation intelligente comme une forme d'art, était attirante pour un amoureux des mots. Quand la nécessité l'a contraint à l'exil, il a transformé cet état en impératif philosophique. Les grandes idées sont souvent le produit de besoins primaires, mais le génie y a aussi un rôle à jouer. Peu d'hommes souffrant de problèmes urinaires ont écrit d'aussi beaux livres. Tu veux que je t'en lise un passage ?

— Merci, Marcel, mais je dois partir.

Contrairement à Marcel, Claire était un peu gênée par le petit rassemblement.

— Je me suis encore planté, hein ? dit-il d'une voix heureusement plus basse. Ma maladresse a toujours fait fuir les femmes. Ce qui me frappe, c'est que ce roman est l'histoire de la relation entre un tuteur maladroit et une magnifique jeune femme qui lui est interdite. Tu semblais tellement intéressée par mes idées éculées sur Rousseau que je me suis dit qu'on pourrait peut-être reproduire l'intrigue.

La flatterie était sans conséquence, Claire le savait bien. Réflexe typiquement français, se dit-elle, comme d'ouvrir un parapluie dès qu'il se met à pleuvoir. Cela n'en marquait pas moins une trêve dans les hostilités.

— Il faut que je parte. Tu m'amènes au métro ? demanda Claire, se sentant soudain libérée de la retenue qu'elle éprouvait toujours en présence de Marcel. Dès qu'il fermait la bouche, Marcel redevenait l'étrange personnage qu'il était. Elle comprenait Adrian qui sentait le besoin de protéger son ami. Malgré l'intelligence de Marcel, chaque journée représentait un terrain miné, semé d'obstacles insurmontables. Ce barbare sauvage, à l'image de Rousseau, naviguait sans s'arrêter d'une crise à l'autre, laissant dans son sillage une traînée semée de désillusions. Il avait besoin d'être protégé de lui-même, se dit-elle et, reprenant le rôle d'Adrian, elle lui offrit un ticket de métro pour son retour à la maison.

En marchant vers la station Odéon, Marcel ne fut qu'éloges pour Sophie, qui serait son assistante de recherche cet été. Il vanta sa sagesse, étonnante pour son âge, sa diligence, son dévouement.

— Je ne peux plus m'en passer. Je ne sais pas ce que je ferais sans elle.

Pourquoi tant de conviction ? se demanda Claire en l'écoutant louanger de manière si démonstrative les vertus de sa protégée. Il lui fallait par ailleurs être attentive, s'assurer de leur progression puisque Marcel se sentait obligé de s'arrêter chaque fois qu'il voulait prouver quelque chose, ce qui contraignait les passants à marcher dans la rue pour éviter de le bousculer sur l'étroit trottoir. À l'occasion, Claire y allait d'un murmure approbateur, pendant qu'elle l'entraînait doucement dans la bonne direction.

Dans le métro, elle songea à ce que lui avait dit Marcel sur la maladie de Rousseau et elle se sentit une parenté avec le philosophe. Si Marcel avait raison, Rousseau fuyait la société un peu comme elle fuyait le travail. Le corps les avait tous les deux trahis. Qui pouvait mieux reconnaître ces stratégies d'évitement qu'une personne qui souffrait ? Pas étonnant qu'elle commençât à le trouver sympathique. Il faudrait en parler à Zoé.

Bercée par le roulis du wagon, elle s'endormit pour ne se réveiller qu'au terminus, seule dans le compartiment. En attendant sur le quai qu'un train la ramène, elle se dit qu'elle aussi avait besoin d'aide. Sa fatigue l'inquiétait. Quelque chose avait peut-être échappé au docteur Alvarez. Elle demanderait à Zoé un rendez-vous avec son médecin.

Chapitre 11

LE LENDEMAIN, Claire avait oublié ses peurs et se sentait de nouveau pleine d'énergie. Quand Adrian lui montra ses photos du château de Dormay, elle se rappela l'invitation de la comtesse et décida de l'appeler. Comme elle l'avait craint, les photos prises de la voiture n'étaient pas très bonnes, mais elles rendaient assez bien le charme délabré des lieux pour que Claire ait envie d'y retourner. Elle n'avait pas oublié son désir de photographier la comtesse et elle se dit que la balade offrirait au moins la promesse de la diversion dont elle avait tant besoin. Elle tournait en rond avec Marta, qui continuait à éluder ses questions sur Dolly. Cette frustration était sans doute la cause de sa fatigue, décida-t-elle.

Au téléphone, la comtesse hésita un instant avant de la reconnaître — deux semaines s'étaient écoulées depuis leur brève rencontre —, mais elle renouvela son invitation avec charme et insistance. « Venez demain. Il ne faut pas trop tarder quand on veut rendre visite à une personne de mon âge. Et venez tôt. J'ai beaucoup de choses à vous montrer et je ne suis pas à mon meilleur en fin de journée. »

Marta prit la comtesse en grippe quand elle sut que Claire la retrouverait le lendemain. « Je ne te comprends pas, dit-elle. Ces gens-là — la petite noblesse — appartiennent à la classe la plus rétrograde du pays. Tu vas t'ennuyer à mourir. » Puis, pour bien marquer le point, elle ajouta : « Plutôt que de perdre ton temps avec des aristocrates desséchées, tu devrais rencontrer certains de mes amis. Ils ont eu une vie passionnante en plus d'avoir joué un rôle déterminant dans la vie politique et sociale des dernières décennies. » En vérité, c'était plutôt Marta qui avait évité Claire, surtout ses questions insistantes. Claire s'empressa toutefois de la rassurer : rien ne lui ferait autant plaisir que de rencontrer ces personnes. Il n'empêche que, tôt le lendemain matin, elle montait dans le train, suivant les instructions de la comtesse Jacqueline de Guersaird, comme il était écrit sur sa carte de visite.

Thomas, un des deux vieux serviteurs de la comtesse, attendait Claire à la gare pour la conduire au château. Quand la voiture s'engagea dans l'allée circulaire, Claire surprit la comtesse lui faisant signe derrière une fenêtre. La vieille dame était vêtue de la même robe moulante de laine noire qu'elle portait la dernière fois. S'étaient rajoutés un collier de grosses perles et de longs pendants d'oreilles turquoise qui s'harmonisaient avec ses yeux lourdement maquillés. Sous ses bas noirs, ses mollets étaient entourés de bandages.

— Je suis tellement heureuse que vous soyez venue, ma chère, dit-elle en embrassant Claire. Venez boire un thé d'abord pour vous remettre du voyage.

La comtesse conduisit Claire dans une grande pièce qu'elle ne connaissait pas. Hormis les portraits des ancêtres qui couvraient littéralement les murs, elle était pratiquement vide. Une moulure décorative au-dessus des tableaux servait de support à une série d'assiettes ornementales.

— Ce sont mes appartements privés, expliqua la comtesse. Je vis essentiellement dans trois pièces. Mon fils et sa famille occupent plus de pièces dans l'aile opposée. Le reste de la maison est fermé. L'entretien est trop coûteux.

La comtesse poursuivit dans un excellent anglais, avec une pointe d'accent britannique, tandis que Mathilde, la femme de Thomas, presque aussi âgée que sa maîtresse, servait le thé avec une part de tarte aux prunes.

— Ce sont des prunes du jardin, dit-elle à Claire. Rien ne se perd sur cette propriété.

Sur une table en partie recouverte d'un feutre vert, la comtesse avait disposé les albums des photos qu'elle avait prises il y a près de soixante-dix ans.

— J'ai presque honte de vous les montrer, avoua-t-elle en lui tendant le premier livre embossé après qu'elles eurent fini de boire le thé.

— J'adore les vieilles photos, répondit Claire en ouvrant l'album.

Les photos de famille l'avaient toujours fascinée, même celles de gens qu'elle ne connaissait pas. En faisant les puces, elle avait fini par se constituer une imposante collection d'instantanés d'amateurs anonymes. Ces documents donnaient un sens de l'immédiateté qui manquait souvent aux photos professionnelles, où la personnalité du photographe s'imposait entre le sujet et son spectateur. Adrian lui reprochait de transformer la maison en mémorial au photographe inconnu, mais il l'aidait de bonne grâce à rapporter ses trouvailles.

Les photos de la comtesse n'étaient ni le travail d'un amateur peu doué ni celui d'un styliste trop conscient de son talent. Elles se rangeaient dans une catégorie à part. En tournant les pages lourdement ornementées des albums, Claire comprit qu'elle avait sous les yeux la fascinante chronique d'une vie à la campagne : scènes de chasse, balades à cheval, fêtes de famille, cueillette de fleurs ou de champignons, excursions dans les bois, fabrication du vin et autres activités conjuguées pour former un portrait quasi cinématique de l'existence privilégiée de la noblesse terrienne. Même les premières photos de la comtesse étaient remarquablement spontanées. Les teintes sépia et le décor d'un autre monde n'empêchaient pas les sujets photographiés de sembler faits de chair et de sang. La lentille était arrivée à saisir, au-delà de l'extravagance des costumes et de la mise en scène, une expression ou un geste qui immortalisait la personne dans la conscience du spectateur. Il y avait peu de portraits ou de photos figés dans une pose et dans leur ensemble, dans l'ordre soigneux de leur présentation, ces instantanés constituaient un document remarquable, dénué de toute affectation.

À chaque page, Claire s'exclamait sans retenue, emballée par cette découverte. Madame de Guersaird balayait ses compliments du revers de la main.

— J'avais sûrement un bon coup d'œil. C'est ce que Lartigue a dit à papa, et ces albums ont sans doute aujourd'hui une certaine valeur historique, mais je ne me suis jamais perçue autrement qu'en dilettante qui s'amusait à constituer un journal visuel de ce qui, il faut bien le reconnaître, ne représentait qu'un genre de vie bien circonscrit. Il me manquait la discipline des véritables artistes. Des centaines d'hommes et de femmes de ma génération ont été fascinés comme moi par ce nouveau jouet. Cela n'en a pas fait des artistes pour autant. À une autre époque, qui sait ? Il en serait peut-être sorti quelque chose.

En réponse à l'admiration de Claire, la comtesse lui tendit deux photos de la maison prises dans les années vingt.

— C'est pour vous, en souvenir de cette journée.

Claire remarqua alors la photo d'un groupe de soldats attablés à la terrasse du château devant laquelle elle était passée plus tôt.

— Des Allemands, expliqua la comtesse. Deux cent cinquante Allemands vivaient ici pendant la guerre. J'étais seule avec ces sales Boches. Mon mari avait été déporté à Buchenwald pour avoir organisé la Résistance dans la région. Quand il est revenu, il pesait quarante-quatre kilos. Un squelette ambulant. Il n'a jamais été le même après.

La comtesse s'arrêta un moment pour montrer deux photos de son mari, prises avant et après la guerre. Claire put mesurer la transformation du jeune homme souriant assez dandy en invalide au regard triste qui n'était pas sans lui rappeler le Bruno des dernières années.

— Pendant son absence, reprit la comtesse, j'ai poursuivi son travail. Au nez et à la barbe des Boches. Mon contact dans la Résistance se faisait passer pour un marchand de pommes de terre. Il m'a demandé de réunir des informations sur les installations de défense des Allemands. J'avais l'autorisation de l'officier en charge de quitter les limites du château. Tous les jours, je traversais à bicyclette le champ de patates où les Allemands avaient caché leurs armes de défense antiaérienne et des petits avions qui bombardaient les troupes françaises et les réfugiés qui fuyaient vers le sud.

Elle s'arrêta de nouveau pour montrer la photo d'une jeune femme souriante enfourchant une bicyclette, vêtue en écuyère.

— Ils avaient pris les chevaux, mais nos vêtements ne leur étaient d'aucune utilité, dit-elle en guise d'explication. Je n'osais pas emporter mon appareil photo, alors je dessinais et je prenais des notes sur le minuscule calepin que je gardais toujours sur moi. J'ai transmis les informations à mon contact. Si les Allemands avaient trouvé ce calepin, j'aurais certainement été exécutée ou soumise à un traitement des plus désagréables. Heureusement, j'étais trop occupée à voler de la nourriture pour les villageois affamés pour m'en inquiéter. Les Allemands ne manquaient de rien et j'excellais dans l'art de voler les approvisionnements destinés au château. Je ne me suis jamais sentie aussi utile de ma vie qu'au cours de ces longs mois.

Claire pensait à Marta, qui décrivait pratiquement dans les mêmes mots son engagement politique avec Bruno. Elle se jura de lui en parler, pour lui prouver qu'elle s'était trompée en jugeant la comtesse.

— Il est très risqué d'encourager une vieille dame à se souvenir du passé, ajouta la comtesse en se levant péniblement de sa chaise. Venez, ma chère. Donnez-moi votre bras. Je veux vous montrer quelque chose.

À son grand étonnement, Claire se trouva fermement entraînée par cet être fragile vers une autre pièce sombre.

— Voici la chambre de Diane, déesse de la chasse, expliqua la comtesse. Le château a été édifié ici à cause des réserves de gros gibier dans la région.

Les murs étaient couverts de carabines et de cravaches, de panaches et de têtes empaillées de chevreuils et de faisans. Au milieu de tous ces objets étaient suspendues des photos de parties de chasse à courre ou à pied où l'on voyait des chasseurs poursuivant une biche, un sanglier ou un lièvre. « Marta aurait trouvé ici la justification de son mépris pour la petite noblesse », se dit Claire. La comtesse l'entraîna ensuite dans un escalier en colimaçon vers l'étage inférieur. Elles étaient maintenant dans une ancienne cuisine très vaste aux planchers carrelés où les chasseurs entraient jadis avec leurs bottes couvertes de boue pour boire un coup et se réchauffer. La comtesse désigna un coin de la pièce modernisé.

— À une certaine époque, nous avions plus de deux douzaines d'employés à notre service, dit-elle en faisant le tour de la cuisine. Il ne reste plus que les deux personnes que vous avez rencontrées. La vie est tellement plus simple de nos jours, vous ne trouvez pas ?

Claire avait remarqué la manière royalement autoritaire avec laquelle la comtesse traitait ses deux employés, comme si elle se trouvait encore à la tête d'un bataillon de domestiques, mais le vieux couple ne semblait absolument pas intimidé par sa maîtresse.

— Maintenant, nous allons faire une petite balade en voiture, dit la comtesse quand elles se trouvèrent dehors. Je veux vous montrer le plus de choses possible. Je vous dirai pourquoi plus tard. Profitez bien de cette visite, car je crains que ces lieux ne me survivent pas.

La comtesse ne semblait pas mélancolique en conduisant sur les routes étroites. Quand elle jugeait le paysage intéressant, elle se permettait un commentaire bref à l'intention de Claire.

— C'est un endroit vraiment paisible, dit Claire devant cette nature vierge peu troublée par le bruit des voitures. J'ai peine à croire que nous ne sommes qu'à deux heures de Paris.

— Ces petites routes de campagne sont charmantes, n'est-ce pas ? Ne vous laissez pas séduire par leur beauté. La bête n'est pas loin, comme partout.

Claire se tourna vers la comtesse, dubitative.

— Le mal, ajouta-t-elle en guise d'explication. Je ne parle pas de la guerre qui transforme tous les hommes en barbares prêts à détruire leurs ennemis. Je pense à des actes d'une sauvagerie inouïe commis par de simples citoyens. L'année dernière, par exemple, dans un village de la région, un fermier a abattu sa femme, ses sept enfants, les parents de sa femme et deux amis des enfants en visite. Puis il a retourné l'arme contre lui. C'était apparemment un homme sans histoire et personne n'a compris qu'une chose aussi affreuse soit arrivée. Ça m'a rappelé des amis pendant la guerre qui ne comprenaient pas qu'un peuple aussi raffiné que les Allemands puisse se laisser aller à de telles atrocités. Je crains que ni la grande culture ni les merveilles de la nature ne soient en mesure de dompter la bête.

Après ces propos énoncés sur un ton prosaïque, la comtesse passa aisément à la description des différents paysages. Pour Claire, la campagne avait soudain perdu de sa lumière.

— Nous passerons dire bonjour au docteur, dit la comtesse en entrant dans le village. Les règles de politesse sont assez strictes à la campagne.

Claire était loin d'être sûre que Gilbert et Anne-Marie souscrivaient à l'étiquette, mais elle préféra se taire. Elle connaissait déjà assez bien la comtesse pour savoir qu'il valait mieux ne pas s'objecter à ses désirs.

Il y avait foule à l'extérieur du cabinet de Gilbert et la comtesse s'adressait à chacun par son nom.

— Il est seul ? demanda-t-elle à l'infirmière. Bien. On ne le retiendra pas, dit-elle en se frayant un chemin à l'intérieur. Ce ne sera pas long.

Personne n'osa protester.

Ils bavardèrent gentiment jusqu'à ce que Gilbert rappelle à la comtesse qu'elle n'avait pas honoré son dernier rendez-vous.

— Mon cher docteur, lui répondit-elle, à mon âge, le cabinet du médecin est plutôt synonyme de mauvaise nouvelle. Vos machines et vos tests ne peuvent que confirmer ce délabrement que me renvoie le miroir tous les jours. Loin des miroirs et de la caméra...

Elle regarda alors intensément Claire comme si elle avait lu dans ses pensées.

— Il peut m'arriver d'avoir envie de tricher avec vos instruments sophistiqués. Vous ne voudriez tout de même pas m'enlever mes illusions, n'est-ce pas ? Voilà, ajouta-t-elle en tendant la main, vous pouvez prendre mon pouls si vous le désirez. Et puis, nous vous laisserons à ces nombreux patients pour lesquels vous pouvez encore quelque chose.

En les raccompagnant, Gilbert demanda des nouvelles de Marcel.

— Depuis quelques jours, il n'est jamais chez lui et il ne répond jamais aux messages que je lui laisse. J'espère qu'il n'est pas souffrant.

Claire lui répondit qu'elle l'avait vu deux jours plus tôt et qu'il semblait bien portant. Gilbert paraissait inquiet. Elle lui suggéra d'appeler Sophie qui saurait où le joindre.

— Comme c'est de Sophie que je veux lui parler, je préférerais éviter de passer par elle. Son comportement me donne du souci depuis quelque temps et je compte sur l'influence de Marcel pour l'aider.

Claire s'est rappelé l'éloge de Sophie fait par Marcel lors de leur rencontre et elle l'a répété à Gilbert. Gilbert pourtant ne semblait guère rassuré.

— Il reste encore une heure avant le départ du train, dit la comtesse.

Elles étaient rentrées au château et buvaient tranquillement un verre de vin.

— Ma chère, quelle journée terrible, n'est-ce pas ?

Claire resta interloquée.

— Je vois que vous ne connaissez pas cette expression. Quand j'étais plus jeune, nous disions terrible pour tout ce qui nous faisait plaisir. J'ai quelque chose à vous demander. Voudriez-vous faire très plaisir à une vieille dame ? Je souhaiterais que vous photographiiez le château et ses terres. Une sorte de tableau ultime, dirions-nous. D'une manière ou d'une autre, cette demeure et moi irons bientôt chacune notre chemin d'oubli. Quand j'étais jeune, il était de coutume de se faire photographier à la veille d'un long voyage ou d'une séparation. La photo était un souvenir à laisser aux proches. J'aimerais que vous en preniez dans le même esprit. Je vous promets de ne pas intervenir. Je ne vous obligerai même pas à m'adresser la parole quand vous viendrez. Vous serez libre comme le vent.

Dans le train qui la ramenait à Paris, Claire songea à l'invitation de la comtesse. Elle était connue pour ses portraits, mais l'idée de photographier le château et ses jardins ouvrait de nouvelles et mystérieuses avenues. Ce serait très différent du cadre étroit des villes qui servaient d'arrière-plan à ses portraits. Ces lieux étaient enchanteurs et l'idée de passer du temps à les explorer lui plaisait. La comtesse pourrait représenter une difficulté. S'en tiendrait-elle à sa promesse de ne pas intervenir? Claire se remémora l'image de la jeune femme sur la bicyclette, son joli minois souriant ne laissant rien transparaître des dangers qu'elle affrontait. Malgré sa fragilité, la comtesse était encore capable d'imposer sa volonté.

Et ses crises de panique des derniers mois ? Claire se sentait mieux depuis qu'elle était en France, hormis une fatigue inhabituelle. Un nouveau mandat ramènerait-il ses angoisses? Cela semblait improbable. Ici, il n'y aurait nulle échéance, nul assistant, pas de sujet récalcitrant, pas d'intérieurs confinés. Elle se voyait déjà dans les sentiers balisés de la propriété, son appareil photo à la main. Cette image la rassura et elle songea à Dolly. La comtesse lui offrait la chance de suivre les traces de sa mère : elle utiliserait son appareil photo comme Dolly s'était servie du fusain. Rousseau saurait-il la guider aussi? Une fois de plus, Claire regretta de ne pas mieux connaître Dolly, ce qu'elle pensait, surtout son rapport particulier à la nature. Du vivant de sa mère, elle avait tout tenu pour acquis et ne s'était jamais posé ces questions qui resteraient à jamais sans réponse. Elle ferma les yeux et vit Dolly marcher à grandes enjambées, absorbée par ce qui l'entourait. Claire était de nouveau la petite fille qui courait après sa mère mais, malgré tous ses efforts, elle n'arrivait pas à la rattraper pour voir son visage.

Elle revint au livre que Marcel lui avait offert et relut le passage sur la duplicité des bienfaiteurs de Rousseau.

« Ces gens m'ont empoisonné l'existence avec leur habileté à séduire par la flatterie et l'assurance qu'ils me considéraient comme le plus grand artiste de mon époque. Dès que j'acceptais de les fréquenter, leur humeur changeait. Mes bienfaiteurs s'immisçaient bien vite dans ma vie et affirmaient à qui voulait l'entendre que leur influence sur mes travaux était considérable. Ces gens finissaient invariablement par m'accuser d'ingratitude et me soupçonner de profiter de leur générosité et de leur fortune. J'ai appris à deviner leur humeur, à les éviter quand ils étaient irritables et à me rendre disponible, de bonne ou de mauvaise grâce, si tel était leur désir. Il m'a toujours fallu prendre congé avant que l'admiration ne se transforme en mépris, avant que la liberté ne donne lieu à l'esclavage. »

Claire avait accepté l'offre de la comtesse et il n'était pas question de reculer. Pour le moment, elle en avait assez de Rousseau et elle posa le livre avant de fermer les yeux. Elle s'endormit, bercée par le balancement mécanique du train.

Chapitre 12

— ALORS, COMMENT VA LE PHILOSOPHE FANTÔME ? demanda Zoé, qui prenait la peine d'appeler entre deux patients.

— Eh bien ! tu seras heureuse d'apprendre que je n'ai pas suivi ses conseils. C'est peut-être pour ça qu'il me boude.

— Bravo ! J'encourage toujours mes patients à s'affirmer. Écoute, j'ai une idée géniale. Je vais organiser un dîner pour tous ceux qui étaient à Ermenonville. C'était tellement magique, et il faut vraiment profiter des moments comme ça. Gilbert, Anne-Marie et Sophie nous ont fort bien accueillis et j'ai envie de leur rendre la pareille. Il y a très longtemps qu'on n'a pas organisé une réception à la maison. Malgré des années d'analyse, je n'ai pas encore réussi à me débarrasser de mes travers, par exemple, ce côté infantile qui fait que je compte sur les autres pour les choses agréables. Cette fois, je prends le taureau par les cornes.

Pour Claire, inviter des gens à dîner n'avait jamais figuré en tête de liste des activités agréables ; elle ne comprenait pas que l'on sacrifie temps et énergie à l'élaboration d'un menu compliqué, alors qu'il semblait tellement plus simple de se donner rendez-vous au restaurant et de s'épargner les tracas de l'organisation. Mais Zoé aimait recevoir et, qui plus est, l'exercice paraissait sans effort. Claire s'offrit pour l'aider, malgré son inexpérience.

— Ne t'inquiète pas, je vais faire simple. Je n'ai vraiment pas besoin de ton aide, répliqua Zoé. Je te promets de ne pas y penser avant samedi. Après la grasse matinée, je prendrai un long bain puis je lirai les journaux. Ensuite, j'irai au marché de la rue de Buci et je verrai ce qui me tente. Dans tous les cas, ce ne sera rien d'extravagant. Tu connais ma paresse légendaire !

Zoé était tout sauf paresseuse, se dit Claire, qui n'en admirait pas moins sa nonchalance, tout comme Zoé admirait chez Claire sa capacité de voyager. Aucune des deux ne croyait mériter de l'admiration pour ce qu'elle accomplissait sans effort.

Zoé avait accepté que Claire apporte le dessert. Claire se trouvait donc devant la porte de l'immeuble de Marta avec un grand carton rose qu'elle tenait en équilibre et qui contenait le miroir aux fraises acheté plus tôt dans une pâtisserie que lui avait recommandée Marta. Elle attendait qu'Adrian passe la prendre en taxi. Bien qu'elle eût passé la journée à lui faire des reproches, Marta avait tenu à attendre avec Claire.

Son antipathie pour la comtesse ne s'était pas refroidie malgré le compte rendu de ses exploits durant la guerre. « Il y a toute une génération de Français qui prétend avoir fait partie de la Résistance. Cela ne veut plus rien dire. » Marta avait eu des mots durs pour la petite fête de Zoé, pendant qu'elle regardait Claire s'habiller. Claire ne comprenait pas pourquoi. Marta et Zoé s'étaient toujours bien entendues, cela ne pouvait donc pas être la raison. L'idée même de ce dîner semblait la contrarier et elle l'avait exprimé en se lançant dans une longue apologie de sa vie avec Bruno, une vie simple à œuvrer à l'amélioration du sort de l'humanité. Marta avait émaillé son discours de remarques désobligeantes sur le tailleur de soie noire de Claire, sur le choix du gâteau, sur le champagne que Simon aimait servir — Claire avait eu le malheur de lui en parler —, de même que sur les invités, dont elle avait exigé une description. Mais de quoi s'agissait-il ? se demandait Claire. Si Marta se sentait abandonnée, pourquoi disait-elle manquer de temps chaque fois qu'elle proposait une sortie ? Était-ce la fameuse réunion de famille qui tardait à se concrétiser? Claire se persuada que la mauvaise humeur de Martha ne lui était pas directement adressée. Marta était équitable. Par conséquent, personne n'échappait à son irritation. Elle n'avait jamais été commode et l'âge n'arrangeait pas les choses.

— En tout cas, tu sais te mettre à ton avantage, dit-elle en regardant Claire d'un œil critique.

Claire ne l'entendit pas comme un compliment.

— À ton âge, tu peux encore te permettre de porter du noir et d'avoir les cheveux sur les épaules, mais tu devrais commencer à songer à les couper. Les cheveux longs ont tendance à alourdir les traits. Et le noir chez les femmes plus âgées les fait ressembler à des veuves siciliennes.

Claire faillit revenir sur la comtesse et sa préférence pour le noir, mais jugea plus prudent de se taire.

— Tu sais, tu ne ressembles pas tellement à ta mère, poursuivit Marta sur le même ton désobligeant, bien qu'elle eût souvent affirmé le contraire, sauf à certains moments, ce soir, par exemple. Il y a tout de même des avantages à mourir jeune comme Dolly. Bruno et moi ne l'avons jamais vue vieillir et, pour nous, elle aura éternellement ton âge.

Claire aurait souhaité qu'Adrian fasse plus vite. Elle en avait assez des propos malveillants de Marta, dirigés cette fois contre Zoé.

— Crois-moi, Claire, ne te confie pas trop à Zoé. Je sais que vous êtes très proches, mais l'amitié contient toujours une part de rivalité. Surtout entre femmes. Pourquoi lui donner les armes qui pourraient se retourner contre toi ?

Avant que Claire n'ait eu le temps de prendre la défense de son amie, Adrian arriva dans un taxi hélé place de la République. Il y avait une manifestation, dit-il, et des embouteillages partout. Heureusement que Marta ne le savait pas, se dit Claire, qui entendit sa vieille amie grogner contre ces gens qui boivent du champagne pendant que d'autres manifestent pour une bonne cause.

Ils ne firent pas le trajet aussi vite qu'elle l'aurait souhaité, mais Claire constata avec plaisir qu'ils étaient les premiers. Simon les invita au salon, où le champagne refroidissait en attendant les invités.

— Je me suis déjà servi un ou deux scotchs, mais il vaut mieux que vous commenciez par le champagne.

Simon était à son meilleur dans ce genre d'occasion. Sa courtoisie naturelle et son amour du cérémonial trouvaient leur expression quand il recevait. Claire était ravie de le voir si bien disposé. Depuis quelque temps, Zoé était inquiète. D'après elle, Simon buvait trop et semblait déprimé.

— Santé, chers amis, dit-il en levant son verre. À votre présence qui permet cette fête. Il y a belle lurette que je n'ai pas eu autant envie de passer une agréable soirée.

Claire, un verre de champagne à la main, alla déposer le miroir aux fraises à la cuisine, où se trouvait Zoé, ravissante dans une robe vert pâle et sous son maquillage discret. Claire sut tout de suite qu'elle avait pleuré. Sous un fard à paupières inhabituellement vert, ses yeux étaient rouges et larmoyants.

— Qu'est-ce qui t'arrive ?

Elles se connaissaient assez pour ne pas prendre de précautions quand il fallait poser des questions directes.

— Oh, rien de grave, répliqua Zoé, absorbée par ses préparatifs.

Claire se sentait particulièrement inutile. Elle écoutait son amie en observant ses mains qui allaient adroitement d'une tâche à l'autre.

— J'en ai seulement marre de toutes ces batailles entre Simon et Christophe. Simon passe tout à Juliette alors qu'il prétend que son fils est un bon à rien. Ce qui s'est passé cet après-midi illustre parfaitement le problème. Juliette n'était pas là, sans doute occupée à organiser une manifestation antiraciste avec des copains. Dieu que cette enfant peut être sérieuse par moments ! Évidemment, c'est sa façon de réagir à ce qu'elle croit être ma nature frivole. Tu ne peux pas savoir à quel point c'est agaçant de se savoir jugée par une adolescente.

Claire avait affronté pendant des semaines la froideur de Melissa, mais elle sentait néanmoins que Zoé exagérait.

— Allez, Zoé, Juliette t'admire. Elle essaie seulement de faire sa niche. Rappelle-toi comme tu étais obsédée par tes études quand je t'ai rencontrée. Juliette fait pareil, mais elle s'y prend autrement.

— Tu as raison. C'est surtout Christophe qui m'inquiète. Ce matin, il m'a gentiment proposé son aide pour ranger l'appartement. Il est vraiment en train de devenir un jeune homme plein d'attentions pour les autres, même si Simon n'a pas tort de dire qu'il est trop attaché à moi. Tu sais, ce vieux machin d'Œdipe combiné à ma culpabilité… J'ai bien peur de ne pas avoir été la mère qu'il fallait quand Christophe était petit. Il y avait l'angoisse du premier et puis j'étais encore en analyse, emberlificotée dans mes préoccupations narcissiques sur mes conflits avec mes parents. Tiens, donne-moi la passoire, juste là. À propos, tu es ravissante ce soir. Et tes escarpins, ma chère, c'est très sexy. Tu n'as pas mal aux pieds ?

Claire mit un temps à s'ajuster au changement de ton.

— Non, ça va, répondit-elle après un moment, ayant fini par trouver la passoire. À condition que je ne marche pas.

Zoé fut secouée d'un rire particulièrement sonore pour une personne de sa taille. Les morilles qu'elle venait de passer sous l'eau roulèrent sur le plancher de la cuisine.

— Merde ! dit-elle en se mettant à genoux pour les ramasser. Au prix où je les ai payés, je ne peux pas me permettre de perdre un seul de ces champignons.

Claire retroussa sa jupe pour l'aider. Elles étaient à quatre pattes quand Simon et Adrian vinrent les retrouver.

— Tu as besoin d'aide, chérie ? demanda innocemment Simon.

Zoé lui lança une des précieuses morilles à la tête.

— Non merci, on se débrouille très bien. C'est un de nos rituels, avec Claire, chaque fois qu'on se retrouve. Rien de bien méchant. Ça s'appelle : chercher la nourriture pour nos hommes. Alors, tu nous laisses continuer ?

Les deux hommes battirent en retraite et Claire et Zoé furent prises d'un fou rire incontrôlable. Elles ne savaient plus pourquoi elles riaient, mais chaque champignon retrouvé relançait le bal. Et quand Claire essayait de se relever sur ses hauts talons instables, Zoé s'écroulait de rire.

— Tu sais, Claire, finit-elle par dire en s'essuyant les yeux, le dos appuyé contre une armoire, j'ai mis des années à comprendre que je n'avais pas besoin de talons aiguilles, de coiffeur et de tailleurs trop serrés pour me sentir femme. Ça a été une libération. Mais attention à Simon, il risque de t'en faire voir de toutes les couleurs ce soir. Ça lui fait un drôle de truc, les escarpins noirs.

En entendant le nom de Simon, Claire réalisa qu'elle ne savait toujours pas ce qui avait fait pleurer son amie. Zoé avait frotté son maquillage et ses yeux étaient encore plus rouges sans ce camouflage.

— Raconte-moi ce qui s'est passé avant que les autres n'arrivent, demanda-t-elle à Zoé.

— D'accord. Alors, comme j'ai dit, Christophe a tout rangé puis il m'a accompagnée au marché et il a porté les sacs les plus lourds. Au retour, il s'est préparé un sandwich qu'il a mangé devant la télé. C'est à ce moment-là que Simon est sorti de son bureau, où il s'était comme par hasard réfugié sous prétexte qu'il avait du travail. Tu as remarqué comme les femmes n'utilisent jamais ce prétexte pour échapper aux tâches domestiques ? J'ai un patient, un écrivain, qui a toutes sortes d'habitudes bizarres, mais j'ai été extrêmement choquée quand il m'a avoué un jour que rien ne pouvait le distraire de son travail. En substance, il a dit : « Si quelqu'un s'attaquait à ma fille pendant que j'écris, je serais certainement en colère, horrifié, mais parallèlement je voudrais que son assaillant l'emmène pour ne pas entendre ses cris, pour ne pas être dérangé. » À mon avis, aucune femme avec un enfant à ses côtés ne peut être aussi absorbée par son travail. Quoi qu'il en soit, Simon était furieux en voyant Christophe devant la télé avec son sandwich. Il ne supporte pas que la télé soit allumée pendant la journée et encore moins qu'un des enfants mange au salon. Sa mère est maniaque de propreté, ce qui explique probablement en partie pourquoi elle vient rarement nous voir. Simon a engueulé Christophe, qui lui a balancé son sandwich à la figure. Puis Christophe est sorti en courant de la maison en criant : « Tu vois, maman, je ne peux pas rester ici. Il me traite comme un enfant. » On s'est évidemment disputés, Simon et moi, et j'ai pleuré. Heureusement, d'ailleurs, parce que j'avais eu une grosse semaine, beaucoup de tensions. Pauvre Christophe, il n'est toujours pas rentré. Voilà !

Zoé terminait sur une note de satisfaction en finissant d'apprêter le gigot d'agneau avec de l'ail et du romarin avant de l'enfourner.

— Je peux faire quelque chose ? demanda Claire, qui souffrait de se sentir aussi inutile.

— Vaudrait mieux que tu ne bouges pas trop avec ces chaussures. De toute façon, il n'y a plus rien à faire. Les asperges sont dans l'étuveuse. La hollandaise est prête. J'ai un pâté de moules au frigo. Et avant de sortir le gigot, je ferai sauter les champignons avec un peu de tomate. C'est tout ! Ce n'est vraiment pas compliqué.

Claire ne trouvait pourtant rien de simple dans ce dîner. Devant la table dressée dans la salle à manger, les autres convives partagèrent son ravissement. Le Limoges vert tendre sur la nappe de lin vert brodée de pivoines mauves, le cristal et l'argenterie avaient de quoi impressionner. Gilbert, Anne-Marie et Sophie semblèrent étonnés par cette opulence lorsqu'ils prirent place là où Simon le leur avait indiqué. Marcel jubilait. Le repas promettait d'être à la hauteur d'un tel déploiement.

— Magnifique ! s'exclama-t-il. Le tableau est parfait d'harmonie et de beauté.

— Merci, Marcel. Vous voyez là les restes de mon trousseau. Aussi absurde que cela puisse paraître, à Oran où j'ai grandi et où les coutumes ont survécu plus longtemps qu'en France métropolitaine, cela faisait partie de l'ordinaire pour une jeune fille de bonne famille.

— Encore une coutume érotique à jamais disparue, rétorqua en soupirant Marcel, qui en profita pour se servir des asperges et du pâté.

— Érotique ? Qu'est-ce qu'il y a d'érotique dans un trousseau ? demanda Sophie, qui paraissait plus âgée avec ses cheveux remontés et son joli tailleur-pantalon.

— Tout, répondit Marcel, l'air rêveur. Le mot lui-même évoque l'abondance, la pudeur, l'innocence timide, les portes verrouillées par des clés très ouvragées, vous savez, comme dans ce trousseau de clés qui permet d'ouvrir la porte de la chambre nuptiale.

— Pour moi, répondit Sophie d'une voix égale, ça évoque plutôt le poulet troussé à la broche.

— Ma chère Sophie, vous faites preuve d'un regrettable manque d'imagination. Et comme je suis votre professeur, cela me déçoit profondément.

Sophie esquissa un sourire impénitent et commença à lisser les longues mèches pâles qui s'échappaient de la pince qui retenait ses cheveux. Marcel, ébloui, suivait ses gestes languides. Y avait-il quelque chose entre lui et son ancienne étudiante ? se demanda Claire. À côtoyer Marcel, Sophie semblait avoir acquis une nouvelle indépendance qui la rendait moins docile, et elle vit dans le regard de Gilbert qu'il ne se réjouissait pas du changement observé chez sa fille. Entre-temps, Anne-Marie poursuivait le débat d'un ton étonnamment sévère.

— La dot est une coutume barbare, avilissante. Et dangereuse ! J'ai accompagné Gilbert en Inde, où les jeunes épouses sont parfois tuées par le mari ou sa famille si la dot n'a pas été entièrement acquittée. Je crains qu'il n'y ait rien de romantique dans cette coutume.

— Strictement parlant, interrompit Simon en remplissant leurs verres, le trousseau et la dot ne sont pas tout à fait la même chose. Zoé n'est pas seulement venue avec son magnifique trousseau, dont vous pouvez apprécier la valeur sur cette table, mais son père a également insisté pour négocier ce mariage. J'étais effondré à l'idée d'être assujetti à de telles pratiques. J'avais déjà du mal à accepter le mariage en blanc à l'hôtel Lutécia, un rituel bourgeois que j'exécrais, avec d'autres hommes de mon âge. Mais l'arrangement financier était une insulte à la noblesse de mes sentiments pour Zoé. J'étais indigné par la proposition de son père, un homme pourtant digne d'estime que j'ai appris à admirer par la suite. Quand est venu le temps des négociations, cet homme a patiemment écouté mon bafouillage pharisaïque. Il m'a dit alors sur un ton grave qu'il ne voulait pas m'insulter, mais seulement assurer à sa fille un certain confort matériel dans sa nouvelle vie. Je lui ai répondu que mes émoluments de fonctionnaire en début de carrière me donnaient à peine de quoi vivre, mais que j'assumerais néanmoins l'entière responsabilité du confort matériel de sa fille. Comme je le comprends, aujourd'hui, moi qui suis père d'une jeune fille. Il y a certainement des leçons à tirer de ces traditions.

— Dès que Simon a trop bu, dit Zoé en riant, il est plein de nostalgie pour l'Ancien Régime.

— Ma chérie, rétorqua Simon, plus sérieux, nous avons de bonnes raisons d'être nostalgiques. Grâce à sa prudence et à sa générosité, ton père a permis à ses enfants de bien démarrer dans la vie. Et nous, qu'allons-nous laisser à nos enfants ? Nous avons été plus égoïstes et inconscients que nos parents, et nos enfants en souffriront.

— S'il vous plaît, quelqu'un, faites-le taire, supplia Zoé, et, quittant la table, elle lança à Claire un regard complice.

Elle revint quelques minutes plus tard avec deux chemises de nuit de soie diaphane.

— Voilà, Marcel, pour la part érotique de mon trousseau, dit-elle en les lui mettant sous les yeux. J'en avais une bonne douzaine comme celles-là, faites à la main, brodées et garnies de dentelle ancienne. Je ne sais pas où sont passées les autres, mais je vois encore les couturières affairées pendant des semaines à la préparation de mon trousseau. Deux vieilles filles qui maniaient merveilleusement bien l'aiguille. Bien sûr, dans les quartiers des femmes où on œuvrait si fort aux préparatifs de mon mariage, personne ne m'a jamais dit ce qu'il fallait faire de ces excitants atours. De toute façon, il était un peu tard. Simon et moi vivions ensemble depuis quelques mois.

Claire se leva pour voir les chemises de nuit de près. Elles étaient superbes, assez belles pour être exposées au mur. C'est d'ailleurs là qu'elles seraient vraiment mises en valeur, décida-t-elle intérieurement. Elle les prit des mains de Zoé et les suspendit par les bretelles, l'une en face de l'autre, aux cadres de deux tableaux. Une légère brise souffla par la fenêtre et fit gonfler le tissu. On aurait dit des danseuses enveloppées dans les effluves de l'oubli, animées par un doux mouvement ondulatoire.

— Quelle merveille ! C'est surréaliste ! s'exclama Marcel en contemplant le tableau de ces longues robes flottantes d'où émergeaient la tête des personnages peints sur les toiles auxquelles elles étaient suspendues. Tu ne manques pas d'imagination, ma chère Claire. Cela a complètement transformé la pièce.

Claire n'avait pas l'habitude de recevoir des compliments de Marcel et elle lui jeta un regard suspicieux. Son enthousiasme, pensa-t-elle, était excessif.

Adrian était ravi d'entendre Marcel complimenter sa femme.

— Tu as raison. Claire a une façon très originale de voir les choses. Ça vient de sa mère, qui était une grande artiste.

— Comme je t'envie, dit Marcel en soupirant. Ma mère croyait dur comme fer que le sort de l'humanité était lié au respect rigoureux des conventions sociales. Encore aujourd'hui, elle ne sait que faire de son fils et, chaque fois que je lui rends visite, elle a beaucoup de mal à contenir son impatience.

Claire, qui avait tant rêvé d'une mère conformiste, ne réagit pas. Au même moment, Zoé déclara :

— C'est un fantasme universel que de vouloir des parents différents de ceux qu'on a. C'est un rite de passage incontournable chez l'adolescent : troquer ses parents pour d'autres. À votre âge, Marcel, vous devriez avoir fait la paix. Vous savez, ce n'est pas si mal de régler ses comptes avec Œdipe.

Encouragé par ces propos taquins, Marcel se lança dans un interminable exposé sur ses difficultés avec sa mère, tandis que

Gilbert s'enquérait auprès de Claire de sa visite à la comtesse. Ils échangeaient tranquillement leurs impressions sur les nombreuses qualités de la vieille dame quand ils prirent conscience qu'une discussion enflammée battait son plein, dans laquelle dominait la voix de Simon. On était vraisemblablement passé de l'œdipe à la politique. Peu de sujets suscitaient de telles passions chez Simon. Claire ignorait comment tout avait commencé, mais elle était consternée de la rapidité avec laquelle la bonne humeur de Simon s'était envolée. Elle commençait à comprendre Zoé qui se plaignait des sautes d'humeur inquiétantes de son mari.

Zoé n'était pas dupe. La colère de Simon n'avait pas grand-chose à voir avec la politique. Elle était plutôt à mettre sur le compte de ses frustrations. « Il n'aime plus son travail, avait confié Zoé à Claire. Il est toujours à cran avec son fils et puis son livre sur Stendhal a été refusé par tous les éditeurs. Il y a plus de vingt ans qu'il travaille là-dessus. Simon s'est toujours identifié à Stendhal — diplomate le jour, homme de lettres la nuit. Et maintenant, tout ce qui s'offre pour l'avenir, c'est une prime de départ et la Légion d'honneur. À vrai dire, j'en ai assez de lui remonter le moral. »

Claire avait toujours apprécié Simon et ne pouvait rester indifférente à ses difficultés mais ce soir, ce visage rougi, cette voix forte qui enterrait celles des autres pour des raisons qui n'avaient rien à voir avec la discussion, tout cela lui permit de mieux comprendre l'exaspération de Zoé. Il fallait ramener Simon à de meilleurs sentiments. S'il continuait, son propre équilibre en pâtirait.

Elle se creusa la cervelle pour trouver les mots qui feraient diversion.

— Vous avez entendu parler du type qui est mort dans un bordel sadomaso ? lança-t-elle, en désespoir de cause.

L'histoire était vraie. Elle l'avait lue le matin dans le *Herald Tribune,* et elle abordait délibérément le sujet d'une manière brutale.

Stupéfaits, les convives restèrent muets jusqu'à ce que Marcel, Dieu le bénisse, vole à son secours.

— Ah oui, ça a été toute une histoire. Et tu as vu que la dominatrice était allemande ? Sans doute la fille d'un commandant de camp. Il paraît qu'on a trouvé un appareillage dans son donjon auquel même le marquis de Sade n'avait pas songé. Si j'ai bien compris, elle raccolait ses clients à travers son site Web. En plus, ses tarifs étaient très élevés. Les clients payaient cher le plaisir de se faire torturer. Le type qui est mort était un grand avocat.

— La nature humaine est complexe, n'est-ce pas ? poursuivit Gilbert. Quand je travaille pour Médecins sans Frontières, j'ai souvent l'occasion de soigner des victimes de la torture, une pratique dont les Allemands n'ont pas l'exclusivité, je vous assure, Marcel. J'aurais beaucoup de mal à expliquer à une de ces malheureuses personnes qu'on puisse vouloir payer pour le plaisir de se soumettre à la souffrance. Je me demande si le fait d'avoir le choix est déterminant.

— Il semble que oui, en effet, répondit Zoé. J'ai lu plusieurs études qui démontrent que lorsque les patients qui souffrent d'un cancer contrôlent eux-mêmes l'administration des analgésiques, ils ont tendance à consommer moins de médicaments que lorsque la responsabilité du dosage revient aux médecins ou aux infirmières.

— Cette conversation est trop sinistre pour moi, dit Marcel en frissonnant. Claire parle de sexe, bien que cette forme-là soit pour le moins étrange. La recherche du plaisir est souvent ridicule, même sans chaînes, sans fouet ou léchage de bottes. Quelqu'un autour de la table peut-il affirmer qu'il n'a jamais perdu la tête pour une passion ? Je confesse que mes propres aventures amoureuses se sont souvent terminées par d'affreuses humiliations.

La stratégie de Claire avait marché. Quand on desservit la table pour le dessert, Simon semblait prêt à se laisser gagner par la bonne humeur générale. Vers minuit, quand Christophe réapparut, Simon passa un bras affectueux autour de ses épaules et présenta fièrement son fils à ses invités. Claire croisa le regard de Zoé au-dessus de la tête du garçon et lui retourna un sourire, consciente de partager avec elle cette brève embellie dans les rapports difficiles entre le père et le fils. Christophe restait sur ses gardes, observateur discret de la gaieté générale, mais quand Marcel prit la parole, il abandonna ses défenses et l'écouta, fasciné. Marcel, conscient d'éveiller l'intérêt d'un nouvel auditeur, adressa directement ses remarques au jeune homme, qui le gratifia très vite d'un bel éclat de rire. Sophie, qui semblait à peine plus âgée que Christophe, ne quittait pas Marcel des yeux et souriait sans retenue, fière de la performance de son maître. Claire voyait bien que Marcel perdait la plupart de ses tics nerveux devant ses jeunes admirateurs.

La soirée se poursuivit sans nouvelle crise et Claire se sentit gagnée par une douce et agréable torpeur. Tout autour, les conversations tourbillonnaient, effleuraient à peine sa conscience, puis s'évanouissaient. Les longues robes de nuit flottaient, caressées par une brise nocturne printanière, et Claire constata avec plaisir que Simon, Christophe et Zoé semblaient pour l'heure réconciliés. Simon avait espéré une soirée réussie. Ses attentes n'étaient pas déçues.

— Heureux de te voir enfin détendue, lui glissa Adrian à l'oreille.

Il avait raison. Quel soulagement d'échapper pendant quelques heures à ses difficultés avec Marta. La décision d'accepter l'offre de la comtesse annonçait un plus long répit. Elle commencerait demain, se dit-elle, se réjouissant d'avance à l'idée d'explorer la propriété. Elle comptait sur cette séparation de quelques jours pour que l'humeur de Marta revienne à la normale.

Chapitre 13

CLAIRE SE RÉVEILLA TARD LE LENDEMAIN MATIN. Elle était sans énergie et vaguement nauséeuse. Il lui semblait qu'il lui faudrait un effort surhumain pour sortir du lit et appeler la comtesse. Alors, elle resta allongée pour évaluer ses symptômes, comme si son corps s'était transformé en entité étrangère à approcher avec précaution.

Elle se rappela soudain ce que Zoé lui avait dit la veille et, arrachée brutalement à sa torpeur, elle essaya de comprendre. C'est en se rendant aux toilettes qu'elle avait croisé Zoé, un plateau de fromages dans une main et un pain Poilâne dans l'autre. « Tu te sens bien ? avait demandé Zoé, un peu inquiète. Tu ne vas pas avoir une crise de panique ? » Zoé était évidemment au courant de ses problèmes. « Ça va », avait répondu Claire pour la rassurer. « Hmmm... avait répliqué Zoé, ou bien tu es enceinte, ou bien tu as la vessie qui rétrécit. J'ai perdu le compte des fois où tu es sortie de table pour aller faire pipi ce soir. »

Claire avait ri, mais ce matin dans son lit, le mot *enceinte* fondait sur elle comme un énorme oiseau de proie, ses ailes battant en écho au même rythme que son cœur.

Est-ce possible ? se demanda-t-elle après s'être calmée. Elle n'avait pas eu ses règles le mois dernier, mais son cycle était irrégulier depuis qu'elle avait arrêté la pilule, pensant que les crises d'angoisse étaient peut-être liées à l'absorption quotidienne de ce cocktail d'hormones. Elle avait eu recours à d'autres méthodes de contraception, soigneusement, consciencieusement. Inutile de jouer aux devinettes, il fallait qu'elle sache et le plus tôt serait le mieux.

Elle s'habilla à la hâte et quitta l'appartement pour aller se procurer une trousse de test de grossesse. À son grand soulagement, elle ne croisa ni Adrian ni Marta. Il y avait une grande pharmacie, place de la République. Là-bas, elle paniqua un instant, incapable de trouver les mots justes en français. Quand elle put enfin demander un test de grossesse, elle fut étonnée d'en trouver plusieurs. Ils promettaient tous un diagnostic rapide et sûr à quatre-vingt-dix-neuf pour cent. Dieu sait si elle n'avait pas envie de choisir en ce moment. Il eût été tellement plus rassurant de ne pas avoir le choix.

À son retour, il n'y avait toujours personne à la maison. Claire se précipita dans la salle de bains et verrouilla la porte. Le mode d'emploi était simple. Il fallait mettre un peu d'urine dans un tube, y plonger un bâtonnet jusqu'à la moitié, le retirer, le placer sur une surface sèche et attendre quelques minutes. Deux lignes indiquaient un résultat positif, une ligne, un résultat négatif. Claire, assise sur le bord de la baignoire, comptait les secondes sur sa montre, la tête vide, l'esprit concentré sur les soubresauts de la trotteuse qui tictaquait inexorablement vers son destin. Elle attendit trois minutes en tout pour être sûre et souleva le bâton dans la lumière. Le résultat correspondait exactement à l'illustration qui figurait sur le mode d'emploi. Deux lignes distinctes apparaissaient là où, quelques minutes plus tôt, il n'y avait rien. Elle était enceinte.

Elle n'éprouva rien en faisant disparaître la trousse. Était-elle heureuse, malheureuse, effrayée, transportée de joie ? Trop tôt pour le savoir. C'était tellement énorme qu'aucune émotion ne traversait la barrière de sa conscience. Elle pensa soudain à Adrian. Elle aurait voulu courir à sa rencontre, lui annoncer la nouvelle, mais quelque chose la retenait. Il serait peut-être contrarié et elle ne supporterait pas d'entendre ses objections réfléchies, en tout cas pas maintenant, alors qu'elle-même ne savait pas trop quoi penser. Et puis, elle n'était pas douée pour les surprises. Avant d'en parler à Adrian, elle avait besoin de temps, besoin que l'idée d'un enfant se niche aussi confortablement dans son esprit que l'embryon dans son corps.

Elle se rappela alors la comtesse. Il valait mieux se conformer au plan initial et partir quelques jours. Elle irait avec son nouveau secret sur les allées désertes qui sillonnaient les jardins de la vieille dame, où rien ne viendrait troubler ce temps de réflexion dont elle avait besoin.

À Paris, des visiteurs venus de l'est et du centre de l'Europe grossissaient les rangs des touristes qui débarquaient par cars pleins pour admirer ces merveilles qu'on leur avait si longtemps interdites. La température clémente la faisait rêver de sous-bois et de brises fraîches.

Moins d'une heure plus tard, elle était dans le train et se laissait doucement bercer en traversant la grisaille du périphérique vers la campagne verdoyante.

La comtesse l'accueillit chaleureusement et, fidèle à sa parole, elle la laissa libre de ses mouvements. « Je vous fais confiance, mon enfant, avait-elle dit avant que Claire ne commence. Dès que vous jugerez que le tableau est complet, je serai heureuse d'en reprendre possession. Prenez votre temps, rien ne presse. »

Pendant quelques jours, Claire explora le parc, photographia tout ce qui attirait son regard, pensant à l'enfant, puis oubliant d'y penser. Quand de nouveau elle sentait cette vie l'habiter, cette vie qui grandissait en elle, Claire imaginait un phare signalant doucement mais régulièrement sa présence. Cette image la réconfortait, lui permettait de se concentrer sur son travail. Le rayon de ce phare pouvait se passer de sa volonté.

Le parc lui semblait plus extraordinaire à chaque nouvelle visite. Sa splendeur se révélait différente selon les changements de lumière ou de température. L'intensité de son émotion dans ces bois, ces prés fleurissants et ces chemins luxuriants l'étonnait. Contrairement à Dolly, Claire ne s'était jamais représenté la nature comme une terre sacrée, imprégnée de forces mystiques et créatrices. L'inspiration lui était toujours venue de petits détails ou de menus artifices qui définissaient le paysage changeant d'un visage ou d'un corps humain. Elle n'avait jamais senti non plus que la nature devait rester inviolée ou qu'il était sacrilège de la transformer. Pour le plaisir des yeux, elle avait toujours préféré les paysages domestiqués, à la nature sauvage. Son petit jardin à Montréal, où elle passait des heures à tourner la terre, à sonder le mystère des tubéreuses, des carottes, des rhizomes, des graines et des boutures, et à observer la lutte pour la suprématie entre les différentes espèces de plantes ainsi que le combat entre fleurs et insectes prédateurs, tout cela satisfaisait son désir d'un monde naturel.

Le parc du château de Dormay représentait un heureux équilibre entre la nature et l'artifice, conçu pour former un univers stable bien que toujours changeant qui invitait à la rêverie et à la contemplation. Les grands jardins un peu délabrés semblaient parfois si désolés, si sauvages que Claire s'étonnait d'y deviner la trace du grand dessin originel : une longue avenue bordée d'arbres révélant au loin le château ; un lac encadrant le reflet de statues érigées à des endroits choisis, dont le temps avait effacé le contour. Devant ces découvertes inattendues, elle sortait son appareil le cœur battant comme si elle venait de voir quelque rare espèce susceptible de disparaître à tout moment.

C'est ce qu'elle aimait des lieux, que la nature y soit filtrée à travers le regard de l'homme, forgé par sa main et riche d'un étonnant passé.

La comtesse racontait que ces paysages si paisibles avaient été le cadre d'un violent champ de bataille pendant la dernière Guerre mondiale et bien avant. Ces terres avaient été saccagées, dévastées, arrosées de sang. Quand Claire essayait d'imaginer les partisans, les réfugiés en fuite et les forces d'occupation tels que la comtesse les lui décrivait, elle ne voyait rien. Le paysage était comme un énorme buvard qui avait absorbé les malheurs qui s'étaient abattus sur son sol. Il ne lui renvoyait que sa douce surface verte.

Elle n'en revenait pas de la proximité de l'autoroute et de sa circulation intense. Au-dessus de sa tête, elle entendait souvent les avions, l'aéroport n'étant qu'à une quarantaine de kilomètres. Le feuillage cachait la route et atténuait les bruits. L'autoroute et l'aéroport semblaient se rapprocher à chaque nouvelle incursion dans le parc, pourtant si vivant — une poche de résistance, mais pour combien de temps ?

Dormay exerçait son pouvoir sur Claire. Elle se sentait plus calme, voire soulagée dès qu'elle passait le portail. Après quelques heures de marche, elle était si fatiguée qu'elle devait s'allonger, n'importe où, et fermer les yeux. Elle émergeait de ses courtes siestes un peu perdue, les cheveux en bataille, mais merveilleusement reposée. Elle croisait parfois des gens — des jardiniers qui entretenaient les plates-bandes, des villageois qui empruntaient un raccourci, des amoureux cachés dans l'herbe haute — et on la saluait poliment sans jamais s'imposer. Comme si tout le monde conspirait pour préserver la joie solitaire que chacun venait chercher en ces lieux.

Claire pensait beaucoup à Dolly, essayait de voir le paysage à travers ses yeux d'artiste. Dès qu'elle sortait l'appareil, elle entendait le grattement nerveux du fusain de sa mère saisissant en quelques mouvements habiles sur la feuille le contour d'un rocher ou la torsion d'une branche. Elle comprenait maintenant son besoin d'évasion à la campagne. Claire aussi était sous le charme de ces lieux paisibles.

Elle se promenait à l'ombre d'invisibles présences, celles de sa jeune mère, de l'enfant en devenir, du vieux philosophe, unis dans sa conscience comme des danseurs. Quand elle était lasse de marcher, elle retournait à Rousseau. Ses écrits berçaient ses rêveries, ses mots faisaient autant partie du paysage que le bosquet de tilleuls à l'ombre duquel elle s'arrêtait pour lire.

> « Cette inutile agitation du cerveau transforme l'homme en animal malheureux. Une seule activité m'a soulagé des démons du désespoir, la contemplation solitaire de la nature. Mes promenades à travers les champs, les forêts, les rives des lacs et des rivières, loin de la turbulence de la société, m'ont permis d'oublier la persécution dont je suis l'objet, la haine et l'envie de certains que m'a valu la gentillesse que je leur ai témoignée. J'ai inventé des mondes imaginaires où les amis étaient fidèles, les femmes douces et le mérite récompensé. La solitude et la nature furent mes plus grands maîtres. »

Claire ne souffrait pas de ce complexe de persécution si présent dans les écrits du philosophe, mais ses propres tourments s'apaisaient dans la douce solitude des jardins de la comtesse. Elle comprit vite qu'il lui suffisait de s'imaginer dans les sentiers sinueux du parc pour calmer ses angoisses. Elle expédia une carte postale à Lucinda : « Je pense que j'ai trouvé ma propre version de ton ashram. Photos à suivre. »

Claire s'en ouvrit à Zoé, décrivit le phénomène de manière détaillée. Zoé lui dit que, sans le vouloir, elle avait découvert une technique de relaxation fondamentale dont elle se servait avec ses patients. Il s'agissait en fait de se concentrer sur une seule image apaisante, qui inhibait alors toute agitation mentale. Et comme la nature elle-même était en péril, les scènes de beauté naturelle se transformaient en métaphores visuelles pour la rédemption des âmes tourmentées. Les patients de Zoé trouvaient un réconfort dans la visualisation de chutes tumultueuses, de vagues se brisant sur la grève, de champs de fleurs sauvages bercées par une brise légère. Cette technique demandait un peu d'entraînement, dit Zoé, qui s'inquiétait du temps que Claire passait au château de Dormay.

« On ne te voit plus, se plaignit Zoé un jour, au terme d'une conversation, et quand tu es là, tu parais soucieuse. C'est ton nouveau boulot ? »

Claire éluda la question. Elle ne voulait rien lui dire avant d'avoir parlé à Adrian.

Marta était toujours d'aussi mauvaise humeur et l'absence de son invitée apportait son cortège de nouveaux reproches. « Je ne te comprends pas. Tu passes ton temps à la campagne alors qu'il y a tant de choses à voir à Paris », répétait-elle, chaque fois que Claire annonçait qu'elle ne rentrerait pas de la journée.

Pour sa part, Adrian se réjouissait de la savoir occupée, n'ayant plus à justifier les longues heures qu'il consacrait à sa recherche, en réunion ou à la bibliothèque.

Un matin, alors que Claire s'apprêtait à partir pour la campagne, il lui confia un nouveau souci : Marcel avait disparu. Adrian ne savait absolument pas où se cachait son fidèle ami. Il avait laissé d'innombrables messages, mais Marcel n'y avait pas répondu et il ne s'expliquait pas cet étrange silence. Claire reconnaissait que cela ne lui ressemblait pas. Marcel était si prévenant quand il s'agissait d'Adrian.

Il t'a peut-être remplacé par un nouvel objet d'admiration et de désir, dit-elle pour le taquiner.

— Eh bien, tant mieux si c'est le cas, répondit-il de bonne foi. J'ai seulement peur que ce soit encore une de ses crises. Marcel est très doué pour se mettre dans la merde.

— Dans ce cas, il te fera signe, dit-elle avant de lui parler de la conversation qu'elle avait eue avec Gilbert, le père de Sophie, qui s'était également plaint de ne pas pouvoir joindre Marcel. J'imagine qu'il aime bien qu'on s'inquiète pour lui.

Avant de partir, Claire embrassa Adrian plus tendrement que d'habitude, comme pour parer la tempête qu'elle était sur le point de déclencher.

Pas tout à fait une semaine s'était écoulée depuis que Claire avait découvert qu'elle était enceinte. La solitude de la campagne, comme un cataplasme vert sur son esprit, l'avait calmée. Elle se sentait une énergie nouvelle malgré quelques poussées de fatigue, mais elle n'était pas encore prête à parler de son secret. On aurait dit que cela la rapprochait de son bébé, d'être la seule à connaître son existence, la seule à pouvoir le protéger du danger. Son silence scellait un engagement fragile d'intimité trop fragile pour supporter d'être mis à l'épreuve. Encore quelques jours, se dit-elle, et elle serait prête à affronter Adrian.

Chapitre 14

LE LENDEMAIN, Claire fut réveillée par la pluie qui battait lourdement le pavé dans la cour intérieure. On était en mai, mais ça sentait l'automne. Elle dut annuler sa promenade à Dormay. Elle choisit de passer la journée avec Marta, qui tenta évidemment par tous les moyens de l'en dissuader : « Tu vas t'ennuyer à mourir. Je n'ai que des tâches embêtantes à faire aujourd'hui. »

Claire se fit un honneur de ne pas juger ce nouveau caprice de Marta. Elle comprit dans la petite Renault de Marta, qu'au fond elle était bien heureuse de la savoir avec elle. Claire se rendait au moins utile en restant dans la voiture pour éviter la contravention quand Marta la garait en double. Un peu plus tard dans la matinée, après plusieurs arrêts, Marta lui dit qu'elle était un ange.

Ça ne l'ennuyait pas d'attendre. Un jour, avec Marta, Bruno et leur fille Louise, ils avaient roulé jusqu'à Chartres dans une voiture aussi petite que la Renault pour voir la célèbre cathédrale. C'était une journée grise et froide et, après un passage obligé dans le lieu de culte — Marta prétendait que l'énorme église gothique qui dominait la ville l'avait toujours déprimée —, ils s'étaient joyeusement engouffrés dans un restaurant pour échapper au froid. Marta et sa fille s'étaient chamaillées. Claire ne se rappelait même pas ce qui avait déclenché le combat. Elle se souvenait par contre très bien d'avoir été jalouse des rapports entre la mère et la fille. Le sentiment d'être étrangère à de tels déploiements d'émotions l'avait mise mal à l'aise. Qui était-elle pour assister à une scène si intime ?

Claire ne s'était jamais permis de s'ennuyer de sa mère. Très tôt, elle avait décidé qu'il n'y aurait pas de place pour le deuil et les regrets dans la vie trépidante qu'elle se promettait de vivre. Mais devant Marta et Louise, emportées par le tourbillon de leurs émotions respectives, rouges de colère et sourdes au reste du monde, Claire avait failli éclater en sanglots. Dans ce petit restaurant de Chartres, elle avait voulu que Marta l'aime et la gronde comme Louise était aimée et grondée par sa mère. Elle s'était précipitée aux toilettes pour cacher ses larmes et ne pas se rendre ridicule. Des années plus tard, en attendant Marta dans la voiture, Claire se rappelait encore l'effroyable sentiment de solitude qui l'avait saisie ce jour-là. Elle souriait maintenant en pensant que ses visites à la vieille comtesse lui avaient finalement valu que Marta la gronde comme elle en avait tant rêvé.

Une fois les devoirs accomplis pour la matinée, Marta décréta qu'elles passeraient chez Gertrude.

— Elle sera ravie de te revoir, dit-elle en se faufilant dans la circulation dense de Paris. Elle connaissait ta mère et elle se souvient de t'avoir vue plusieurs fois. Elle m'a souvent demandé de tes nouvelles.

Gertrude était trop déprimée pour se soucier de Claire. Après un accueil plutôt froid, elle conduisit ses invitées à la fenêtre qui donnait sur la cour intérieure.

— Il est là, dit-elle en pointant du doigt un homme qui balayait consciencieusement le sol. C'est Jacques, mon mari, dit-elle à l'intention de Claire.

— C'est vraiment une étrange maladie, l'Alzheimer, répliqua Marta. Jacques ne semble bien que lorsqu'il est dehors, mais Gertrude ne peut pas le laisser se promener seul dans la rue, il se perdrait tout de suite. Alors, elle l'emmène dans la cour, où le concierge le surveille. Depuis, il ne cherche pas à se sauver. Trop de choses l'occupent en bas.

— Je sais qu'il est en sécurité, poursuivit Gertrude, mais je passe mon temps derrière la fenêtre. Il y a des années que ça dure et je ne m'y fais pas. Un des hommes les plus brillants que j'ai connus est en train de balayer la cour consciencieusement, méticuleusement. C'est une obsession. Marta vous a raconté ? Le matin, il attend que je l'habille pour aller dehors et se remettre à l'ouvrage. S'il fait trop froid ou qu'il pleut, je suis obligée de le garder à l'intérieur, et il devient très agité. Alors, je laisse faire et je le regarde, impuissante, balayer, ramasser chaque caillou, chaque feuille, la moindre saleté. Quand tout est absolument propre, il dispose en petits tas ce qu'il a récolté dans la cour. Il n'accepte de rentrer qu'à la nuit tombée. Depuis quelque temps, je me réveille en me demandant ce qui m'attend et je me dis qu'il vaudrait mieux que je sois morte. Mais alors qui s'occuperait de lui ?

En partant, Marta voulut saluer son vieil ami.

— J'ai l'impression que ça lui fait plaisir, dit-elle en descendant l'escalier. Je pense qu'il me reconnaît... Bonjour, Jacques, lança-t-elle en entrant dans la cour.

Comme de fait, son ami déposa le balai et lui sourit en faisant un signe de la main.

— Tu vas à Montpellier? demanda-t-il quand les deux femmes furent assez près.

— Pas aujourd'hui, Jacques, répondit Marta d'une voix douce.

Et quand Jacques fut retourné à son balayage, elle expliqua à Claire :

— Son fils vit à Montpellier. Il me pose toujours la même question quand je le vois.

Au moment de partir, Marta demanda à Claire de faire une photo de lui :

— J'ai fouillé dans mes vieilles photos et je n'en ai trouvé aucune de Jacques. Je sais que c'est un peu fou, mais j'aimerais tellement avoir un souvenir de lui.

Elle coiffa tendrement les cheveux de son ami, ajusta son écharpe et lui demanda de sourire. Curieusement, il s'y conforma.

En levant la tête, Claire vit Gertrude à sa fenêtre. Elle lui envoya la main, mais Gertrude resta immobile. Quand elles dirent au revoir à Jacques, il souleva poliment son chapeau.

— C'est tout ce qu'il reste de l'homme que j'ai connu : ses bonnes manières, dit Marta en essuyant une larme. Les ravages de la vieillesse sont souvent plus difficiles à accepter pour ceux qu'on aime que pour soi. Je suis tellement contente d'avoir rendez-vous chez le coiffeur aujourd'hui, ajoute-t-elle en sortant de la cour. Quand je vois des choses comme ça, j'ai vraiment besoin de me remonter le moral.

Elles convinrent de se retrouver plus tard dans le café préféré de Marta, rue de Médicis, en face du Luxembourg. Claire choisit de marcher sans se presser. Le temps s'était mis au beau et la perspective de cette promenade dans Paris après une matinée en voiture la réjouissait. Elle en profiterait pour mieux formuler les questions qu'elle poserait inévitablement à Marta.

Chapitre 15

En marchant lentement dans les rues encombrées de Paris, Claire pensait à Dolly. D'aussi loin qu'elle se souvenait, elle avait toujours su que sa mère était différente des autres. Même quand elle donnait un coup de main à l'école en accompagnant les élèves pour une sortie, en dessinant des costumes pour la troupe de théâtre, ou encore en préparant des biscuits pour les bazars, bref en faisant comme toutes les autres mères, Dolly feignait d'être une bonne mère. C'était du moins l'impression de Claire. Il lui suffisait d'un regard distant pour se trahir, ou qu'elle se tienne comme si elle était sur le point de s'envoler. En vérité, Dolly, contrairement aux autres mères, n'attendait que le bon moment pour retourner aux formes qui dormaient dans son atelier.

Claire se rappelait très bien le jour où elle avait pris conscience de l'autre vie de Dolly. Elle souffrait d'une bronchite et n'avait pas mis les pieds à l'école depuis un certain temps. Désœuvrée et pas assez malade pour rester au lit, elle était montée à l'atelier. Elle avait dû crier pour que Dolly se rende enfin compte de sa présence. Sa mère avait ce regard terne et troublé des gens qui émergent d'un profond sommeil. Dolly avait souri en voyant sa fille, et retrouvé aussitôt son expression habituelle, mais elle était si impatiente de retourner à sa sculpture que cela n'avait pas échappé à Claire, qui avait également compris que sa mère avait besoin de redevenir cette autre femme qui ne supportait pas qu'on la dérange.

Cette mère qui faisait partie de l'horizon immuable de son enfance, ce personnage familier dont le parfum était aussi personnel que le toucher de sa propre peau, cette artiste qui brossait et tressait ses cheveux, qui faisait de son retour de l'école une fête spéciale et qui présidait toujours les repas dans la bonne humeur, cette femme donc avait une vie secrète que ni elle ni son père ne connaissaient.

Dolly n'avait jamais reproché à sa fille ses intrusions dans l'atelier, mais Claire savait que les formes étranges qui naissaient des énormes blocs de bois étaient de formidables rivales qui lui volaient l'attention qu'elle était en droit de réclamer. Dolly avait tout fait pour la rassurer — l'enfant avait sa petite table dans l'atelier, avec des crayons et du papier, de la pâte à modeler, elle pouvait s'y amuser à loisir —, mais Claire avait décrété un jour qu'elle détestait tout ce qui touchait l'art.

Elle s'était d'abord réjouie quand Dolly avait déserté l'atelier. De nouveau, elle s'occupait de la lessive, préparait des repas à heures régulières et parfois même des goûters-surprises après l'école. Mais le regard autrefois distant de Dolly avait fait place au vide, à un visage inexpressif, toujours absent. Claire avait mis un temps à comprendre que sa mère était plus inaccessible que jamais. Elle s'en était voulu, comme si d'avoir pris en grippe son art avait contraint Dolly à l'abandonner. Elle savait aujourd'hui qu'il n'en était rien. Dolly ne devait pas ses souffrances à l'égoïsme d'une petite fille, mais à quelque chose de beaucoup plus grave.

Se rappelant l'intensité de son attachement à sa mère, Claire songea avec remords qu'elle avait été une enfant assez conformiste. Aujourd'hui, elle comprenait mieux la mère et la fille. Leurs besoins étaient-ils si irréconciliables ? Son amour pour l'enfant qui s'épanouissait en son sein serait-il plus rassurant, ou cet enfant la jugerait-il aussi sévèrement qu'elle avait jugé Dolly ?

Ces réflexions soulignaient l'urgence de comprendre le malheur de Dolly.

C'est avec soulagement qu'elle constata que Marta n'était pas encore arrivée dans le café où elles s'étaient donné rendez-vous. Marta n'aimait pas qu'on la fasse attendre et Claire qui avait tant besoin de son aide ne voulait surtout pas la contrarier.

Elle déchanta en voyant Marta chercher fébrilement ses clés et ses lunettes dès qu'elle se fut assise. Ces signes de détresse familiers n'annonçaient rien qui vaille. Son agitation était sans doute liée à sa nouvelle coupe de cheveux, qu'elle portait maintenant courts et auburn. Avant que Claire n'ait eu le temps de placer un mot, Marta suggéra qu'elles changent de table :

— Tu veux vraiment rester là ? Je pense qu'on serait mieux à l'intérieur.

— Je me suis ridiculisée tout à l'heure, reprit Marta après qu'elles eurent trouvé une table à l'intérieur avec l'aide d'un garçon maussade. Comme tu sais, je vais chez le même coiffeur depuis des années. Je crois même t'y avoir envoyée la première fois que tu es venue à Paris. Il me demande parfois de tes nouvelles. Évidemment, après tout ce temps, je lui fais confiance. Alors, quand il m'a proposé une nouvelle couleur aujourd'hui, j'ai accepté. Je n'ai jamais pu rien me mettre dans les cheveux à cause de mon allergie à la teinture, mais avec ce rince, j'avais envie d'essayer quelque chose qui ferait moins « petite vieille ».

Claire rit en l'entendant se décrire ainsi. Elle aurait cent ans que personne ne la qualifierait jamais de petite vieille.

— Tu peux rire ! Avec l'âge, on devient vaniteux, et cette vanité est plus absurde que les petites maladresses d'une jeunesse égocentrique. Plus on vieillit, plus on est obsédé par des fonctions corporelles que les jeunes tiennent pour acquis. C'est comme l'horloge qu'on ne remarque que si elle ralentit ou que ses aiguilles ne donnent pas la bonne heure. Dans tous les cas, j'étais contente de prendre le métro avec ma nouvelle tête pour venir te retrouver, sauf que dans le wagon, une jeune fille s'est levée pour me céder sa place. Au lieu de l'accepter en souriant, comme il convient à une dame de mon âge, je l'ai sermonnée : « Vous pensez vraiment, mademoiselle, que je suis si vieille et si fragile qu'il faut que vous me cédiez votre place ? » Armand avait réussi à me convaincre que j'aurais l'air beaucoup plus jeune avec ma nouvelle couleur. C'est fou ce qu'on peut s'illusionner. Tu aurais dû voir la tête de la fille. Elle y repensera à deux fois avant de céder sa place dans le métro.

Claire ne put se retenir de rire encore et Marta fit de même. Cette confession semblait l'avoir soulagée, elle avait retrouvé sa bonne humeur. Après avoir commandé, Claire se rappela sa résolution. Elle choisit d'y aller avec prudence.

— Je sais que ça ne te plaît pas, mes petites visites à la comtesse, mais j'ai vraiment eu beaucoup de plaisir à me balader seule dans ce grand parc. Ça m'a rapprochée de Dolly, d'une certaine façon. Tu te souviens comme elle était heureuse dans les bois avec son carnet à croquis ? Je n'ai pas de mal à l'imaginer dans ce cadre-là.

— Je suis contente que tu t'amuses, Claire, mais tu te trompes complètement pour Dolly, répondit Marta d'un ton ferme. Elle aurait détesté les jardins de la comtesse. Elle ne s'intéressait pas au formalisme maniéré des jardins classiques à la française. Elle préférait de loin les paysages accidentés et vallonnés comme les Laurentides, au nord de Montréal, où elle passait beaucoup de temps.

Marta avait tort, la nature regagnait ses droits dans les jardins de la comtesse et les dernières traces du plan initial disparaissaient lentement. Claire attaqua sur un nouveau front.

— En tout cas, la campagne française m'a permis de mieux apprécier Rousseau. Je regrette tellement de ne pas avoir écouté

Dolly quand elle m'en parlait. Elle m'aurait appris des tas de choses. Dire que je me suis moquée d'elle avec mes amis. Je ne la comprenais pas.

Marta se pencha et lui tapota doucement la main.

— Ne te juge pas trop sévèrement, Claire. Ta mère adorait Rousseau mais, pour l'entourage, ça pouvait être lassant. C'est sans doute la faute de son professeur, de cet homme qui lui a enseigné la sculpture. Je ne me rappelle plus son nom, mais il l'a encouragée à lire les écrits de Rousseau sur la nature. Elle a d'ailleurs attribué à ces lectures une sorte de renouveau dans son expression artistique. Rousseau était sa béquille, une superstition à laquelle elle s'accrochait. Elle le disait responsable de sa créativité. Comme tu sais, je n'apprécie guère les opinions misogynes de Rousseau. Évidemment, il n'était pas question d'en discuter avec Dolly. Comme son mentor, elle était extrêmement sensible, tellement à fleur de peau que par moments elle semblait ne plus avoir de peau du tout.

Claire aurait voulu lui dire que Rousseau adorait les femmes, mais elle profita plutôt de l'ouverture qu'offrait une remarque de Marta.

— Je ne me rappelle pas d'elle comme d'une personne fragile. J'ai toujours vu Dolly comme quelqu'un de très déterminé, de volontaire.

— Elle l'était, acquiesça Marta, mais elle pouvait aussi se montrer extrêmement sensible. Il y avait des sujets, Rousseau par exemple, que nous ne pouvions absolument pas aborder. Ses réactions, positives ou négatives, étaient parfois disproportionnées. C'est peut-être ça, le tempérament artistique. Une grâce qui se retournait parfois contre elle, je le crains. Heureusement, ton père était solide. Il remettait les événements en perspective.

Une fois de plus, Claire se dit qu'elle avait bien fait de ne pas parler à Marta de ses crises de panique.

— Cela explique peut-être sa dépression quand elle est rentrée de Paris, dit-elle en hésitant, consciente de se diriger lentement vers l'objectif qu'elle s'était fixé. Tu penses qu'elle n'a fait que réagir de manière exagérée à une petite déception ? Ou alors…

— Ah ! tu ne vas pas recommencer ! s'exclama Marta d'un ton où pointait la colère. Tu es vraiment entêtée. Oui, Dolly et moi étions très proches, mais ça ne veut pas dire qu'on se confiait tous nos secrets. Elle avait les siens, comme tout le monde. Je n'ai jamais pensé que l'amitié passait par le confessionnal. Je t'avais prévenue, l'autre jour.

— S'il te plaît, Marta, c'est très important.

— Et c'est très puéril de ta part de croire qu'on te cache des choses. De toute façon, ta mère n'est pas la première à avoir perdu les pédales. Ça n'a jamais été facile pour une femme de penser seulement à son travail. Les émotions nous affectent davantage. C'est inné ou acquis, dépendamment qui on veut croire. Je ne dis pas que c'est ce qui s'est passé avec Dolly, mais c'est possible. Je te l'ai déjà dit, elle s'en serait sortie s'il n'y avait pas eu l'accident.

Claire essaya une dernière fois.

— Et d'après ce que tu sais, il ne s'est rien passé à Paris ?

— Qu'est-ce que tu espères ? demanda Marta en ne faisant rien pour dissimuler son impatience. Tout ce que je sais, c'est que ton interrogatoire est en train de me donner un sacré mal de tête. J'espère que tu ne tortures pas Adrian comme ça. Tu lui as dit que tu voulais un enfant ? Au lieu de passer ton temps chez ta comtesse, tu devrais t'occuper de lui. Et ne me dis pas qu'il est pris. Une femme sait très bien comment attirer l'attention d'un homme quand elle le veut.

Marta n'avait rien perdu de son doigté, songea Claire un peu ébranlée. Sa fée marraine avait toujours le pouvoir de se transformer en sorcière cruelle.

Chapitre 16

— Je suis sûre qu'elle me cache quelque chose, dit Claire à Zoé le lendemain.

Il pleuvait toujours et Claire avait finalement accepté d'accompagner son amie aux bains orientaux. Zoé n'avait pas cessé de lui parler des merveilles du hammam : « C'est absolument sybaritique, Claire. La chaleur, la nudité, l'indolence, le cocon… Il faut que tu viennes. Je ne survivrais pas si je n'y allais pas toutes les semaines. »

Claire n'était pas aussi convaincue de trouver un charme aux bains turcs. Elle détestait la chaleur intense, les massages vigoureux, et la promiscuité la mettait mal à l'aise. Elle aimait suffisamment son corps pour ne pas éprouver le besoin de parader devant des étrangers, ni même devant Zoé. Et puis, elle n'était pas prête à risquer de devoir partager son secret. Elle jugea finalement que ses hésitations étaient moins importantes que son désir de faire plaisir à son amie. Elles ne s'étaient pas vues depuis un moment et Claire s'ennuyait de leur complicité, qui rendait les conversations si aisées. Au téléphone, ces jours derniers, Zoé lui avait semblé particulièrement épuisée, mais elles n'avaient pas vraiment eu l'occasion d'en parler durant leurs échanges trop courts et souvent pressés.

Il y avait un hammam dans le quartier arabe, pas très loin de chez Marta. Dans les rues transformées en gigantesque souk, pas une voiture mais des masses de piétons qui déambulaient lentement. Des femmes en djellaba, des vieillards enturbannés et des enfants qui couraient au milieu des adultes composaient une foule bigarrée qui naviguait sur les trottoirs entre les marchands de chiffons et les revendeurs d'équipement électronique en passant par l'échoppe du boucher où pendaient des carcasses de mouton, et le marchand devant des sacs de jute débordants d'épices aux couleurs vives et aux mille parfums. Les échanges étaient criés plutôt que parlés et cela produisait un fond sonore qui, mêlé à la densité humaine, contraignait Claire à s'arrêter souvent. Elle suivit les instructions de Zoé et repéra l'immeuble qui abritait les bains au bout d'un dédale compliqué de ruelles. Impossible de le distinguer des autres immeubles poussiéreux des environs. Zoé l'attendait sous le porche, impatiente de faire découvrir à son amie les plaisirs cachés derrière cette façade peu invitante. Avec ses yeux brillants et ses joues roses, elle semblait aussi jeune que le jour où elles s'étaient rencontrées, malgré son tailleur sévère et son énorme porte-documents.

— Je n'ai pas eu le temps de me changer, j'arrive d'une réunion à l'hôpital, dit-elle devant le regard médusé de Claire.

Elles se jetèrent joyeusement dans les bras l'une de l'autre, comme si elles ne s'étaient pas vues depuis des mois. « Tu m'as manqué », dirent-elles à l'unisson en éclatant de rire.

— N'est-ce pas merveilleux? demanda Zoé, une fois à l'intérieur. Chaque fois que je viens, cette atmosphère humide et les huiles parfumées me rappellent invariablement mon enfance.

L'antichambre était à peine éclairée. Des paumes de mains bleues étaient peintes sur les murs rouge sang.

— Pour chasser le mauvais œil, dit Zoé.

Des femmes vêtues de la robe traditionnelle marchaient langoureusement dans la pièce où flottaient des effluves de parfums capiteux, des odeurs qu'accentuait l'humidité des lieux. Claire, qui ne connaissait que les clubs sportifs à l'américaine aux intérieurs impeccables pour encourager les efforts soutenus, avait du mal à supporter l'atmosphère languide du hammam. Elle suivit Zoé à travers une enfilade de pièces. Le cœur léger, son amie saluait au passage les employées en peignoirs, qui lui rendaient la pareille.

Elles atteignirent enfin la pièce centrale oblongue, où une petite femme, dont le sourire dévoilait des gencives tatouées de bleu, leur tendit un peignoir et des serviettes en leur indiquant l'endroit où elles pouvaient laisser leurs vêtements.

— L'heure de vérité, dit Claire comme pour chasser le malaise qu'elle éprouvait en se déshabillant.

— Mais qu'est-ce qui t'inquiète? Tu es resplendissante, répondit Zoé en la regardant avec insistance au point de faire rougir Claire. C'est moi qui ai le ventre mou strié de vergetures. Tu vois là? C'est la faute à deux grossesses, se plaignit-elle en se pinçant la peau. Juste là, j'avais une taille avant.

Claire éclata de rire. Zoé avait toujours eu tendance à dramatiser. La seule chose à en dire, c'est que le petit corps nu de Zoé, avec ses seins étonnamment lourds, était beaucoup plus sensuel que les vêtements ne le laissaient croire.

Après que Claire et Zoé se furent dévêtues, l'employée aux mains puissantes malgré sa taille enduisit vigoureusement leur corps d'huile parfumée. Enroulées dans une serviette, les pieds chaussés de sabots de bois, elles prirent place dans une alcôve, à côté d'autres alcôves qui formaient un cercle autour d'une piscine. Au plafond, un dôme imposant laissait passer une lumière tamisée à travers les rares ouvertures vitrées. La pièce baignait dans un épais brouillard de vapeur. Claire mit quelques minutes avant de pouvoir distinguer les occupantes nichées dans d'autres alcôves.

— Quelle scène extraordinaire ! dit Zoé. Chaque fois ça me rappelle la luxuriance des Delacroix de l'époque marocaine.

Claire acquiesça. Elle aurait aimé avoir son appareil photo, mais il n'est pas sûr qu'on l'eût autorisée à s'en servir.

— Bizarre, dit Zoé en s'allongeant sur les coussins épars qui couvraient la plateforme de marbre, je n'ai jamais eu envie de retourner à Oran. C'était pourtant une vie extraordinaire, mais j'étais impatiente d'y échapper et je l'ai fait dès que j'ai pu convaincre mes parents de m'envoyer étudier à Paris. Quand ils sont venus me retrouver ici, je n'avais plus de raisons de rentrer. Je ne supporte pas la nostalgie de mes amis qui s'ennuient du charme perdu de leur enfance privilégiée. Et pourtant, j'ai été vraiment heureuse de découvrir ce hammam. J'y retrouve l'atmosphère de mon enfance, un monde enveloppant, réconfortant, un monde de femmes.

— J'aimerais bien retrouver un peu de ce passé, dit Claire en songeant que les confidences étaient plus aisées dans les vapeurs ombrées de la pièce.

— C'est l'âge, ma chère, dit Zoé en ajustant la serviette enroulée sur sa tête, qui révélait un tout petit visage enfantin sous le volumineux turban. Jusqu'à trente ans, pour ressembler aux grands, on passe sa vie à fuir l'enfance et, dès qu'on commence à être traité comme un adulte, on consacre le reste de notre existence à essayer de comprendre ce qu'on a fait pour en arriver là.

Claire sentait que l'atmosphère brumeuse lui embrouillait les idées, mais ce n'était pas désagréable. Elle était plus légère, plus détachée, comme si son corps, dans sa nudité, appartenait à cet espace, à l'instar des formes rondes et enturbannées qui l'entouraient. Sa voix lui paraissait étrangement lascive.

— Tu as raison. Je suis convaincue que ces accès de panique sont liés aux événements insolites de mon enfance. Même quand j'étais gamine, je sentais qu'il y avait quelque chose d'étrange avec ma famille. J'étais la seule de l'école dont la mère s'échappait pour de mystérieux séjours à la campagne et passait des journées enfermée dans une pièce à se battre contre des blocs de bois. J'avais l'habitude de mentir à mes copines sur ses activités pour qu'elle ressemble à une mère comme les autres. Un jour, brutalement, tout a changé. Plus d'escapades à la campagne, plus de sculptures. Il n'est resté que cet insondable abattement. J'ai besoin de savoir ce qui est arrivé. Marta élude mes questions et je soupçonne que c'est parce que j'ai mis le doigt sur quelque chose. Quand Dolly m'a laissée pour aller vivre à Paris, il s'est passé quelque chose là-bas qui l'a forcée à renoncer à son travail.

— Intéressant que tu dises qu'elle t'a laissée, dit Zoé en se redressant, sa curiosité soudain éveillée par un détail potentiellement révélateur. Tu avais environ douze ans, non ? Tu étais assez grande pour comprendre et, malgré cela, tu t'es sentie abandonnée.

— C'est vrai. Je ne sais même pas combien de temps elle est partie. Elle ne m'a pas vraiment manqué, mais il y avait toujours cette peur sourde de ne jamais la revoir. Je ne me suis pas tellement trompée. Celle qui est partie n'est jamais revenue.

— Peut-être qu'inconsciemment tu ne voulais pas qu'elle revienne. Tous les enfants rêvent au moins une fois la mort de leurs parents. Et quand ça arrive, malgré eux bien sûr, le sentiment de culpabilité peut être énorme.

Ce fut au tour de Claire de s'asseoir.

— Tu crois que je cherche à savoir ce qui s'est passé pour me débarrasser d'un vieux fond de culpabilité ? Ça voudrait dire que, si je trouve quelque chose, quelque chose d'extérieur à moi, j'aurai tout réglé ? C'est ce que tu penses ?

— Du calme, Claire. Je ne t'accuse de rien. D'après moi, ta mère a fait une dépression, tout simplement. Il n'y a sans doute rien de mystérieux derrière tout cela. Même les plus forts peuvent, d'un coup et sans raison apparente, éprouver du chagrin et en avoir marre de vivre. Difficile de comprendre la dépression, même quand la personne qui en souffre vient s'asseoir toutes les semaines chez son psy pour en parler. Malgré tous les efforts, malgré l'habileté de celui qui l'écoute, rien n'est plus dur que de trouver la source du mal. Suis mon conseil : laisse tomber.

Claire n'en revenait pas. Pourquoi cherchait-on à la décourager de sa quête ?

— Va pour Adrian et Marta, qui me disent de laisser tomber, mais toi, tu es analyste, non ?

— Oui, et tu es mon amie. Je ne veux pas que tu sois malheureuse.

Claire était trop lasse pour se défendre. Elle resta allongée quelques minutes, en silence, sur son lit de marbre. Elle venait de terminer un passage de Rousseau qui illustrait bien la paranoïa du vieux philosophe et elle se demandait si ce travers n'était pas sur le point de la gagner. Ou était-ce l'influence de Lucinda, cette chère Lucinda qui disait que rien de ce qui nous arrivait n'était innocent, qu'on pouvait toujours trouver une raison. Pour Lucinda, le hasard et l'absurde n'affectaient pas le cours des choses.

Claire accueillit avec soulagement l'invitation de Zoé, qui voulait se rafraîchir dans la piscine. Après le choc initial, elle se sentit de nouveau alerte. Zoé également, qui semblait prête à poursuivre la discussion.

— Pardonne-moi de t'avoir blessée, mais j'en ai un peu marre en ce moment des gens qui fouillent leur passé. Tout ça c'est la faute de Simon.

Le ton était amer. Claire en fut troublée et elle éprouva une légère culpabilité. Venue dans l'intention de découvrir ce qui n'allait pas avec Zoé, elle n'avait parlé que de ses problèmes. Pas étonnant que son amie réagisse ainsi.

— C'est plutôt à moi de m'excuser, dit Claire. Pardonne-moi d'être aussi égocentrique. Tu me sembles si malheureuse, dit-elle en serrant la main froide et mouillée de Zoé. Raconte-moi ce qui ne va pas.

— J'ai des soucis. J'aurais tellement voulu t'en parler, mais ça me semblait impossible au téléphone. Bon, eh bien ! voici l'histoire, dit-elle en prenant une grande respiration. Cela fait des années que Simon me parle d'une prof qu'il a eue quand il avait treize ans. Une jeune femme à peine sortie de l'université et à peine plus âgée que ses élèves. Elle a littéralement changé sa vie. Il lui attribue toutes les vertus du monde. C'est elle qui a découvert son talent et qui l'a mis sur le chemin des meilleures écoles du pays. Avant de le laisser voler de ses propres ailes, elle lui a fait découvrir Stendhal, lui a prêté des bouquins, s'est arrangée pour qu'il participe à un concours qui lui a permis de faire le saut et d'échapper à la banlieue ouvrière de Lille où il est né. Il a reconnu qu'il tremblait de désir à ses côtés. Quand il a quitté la région, il a perdu sa trace. Il y a quelques années, il a eu envie de la retrouver. J'ai l'impression que c'était lié aux multiples refus essuyés pour son essai sur Stendhal. Peut-être voulait-il revoir celle qui lui avait ouvert les horizons et appris à se faire confiance, ou alors il était à la recherche d'une femme plus compréhensive et mieux disposée que son épouse. Je reconnais que les problèmes de Simon méritaient un peu plus d'attention. Je t'épargne les détails compliqués sur la manière dont il s'y est pris pour la retrouver. Je peux seulement parler de son obsession complète. C'était devenu le centre de son existence. Il a fini par la retrouver. Elle vivait près de la ville où ils s'étaient connus.

Plus que la plongée dans l'eau froide, le récit de Zoé mit tous les sens de Claire en éveil.

— Incroyable ! Continue. Que s'est-il passé ensuite ?

— C'est une histoire extraordinaire, mais j'avoue que ça m'a emmerdée. J'étais jalouse du rôle que Simon attribuait à cette femme. J'espérais qu'il la retrouve pour en finir avec son fantasme. Après tout, elle devait bien avoir passé la cinquantaine. Pouvait-elle ressembler à la jeune prof de dix-neuf ans qu'il avait connue ? Simon ne m'en a pas parlé quand il l'a retrouvée. C'était sans doute trop important pour le soumettre à mon regard critique. C'est venu plus tard, le jour où elle a sonné à la porte. Mais je vais trop vite. Vraisemblablement, il lui a écrit et elle a répondu gentiment. Elle ne voulait pas le rencontrer, soi-disant pour ne pas ternir l'image qu'il se faisait d'elle. Étrange, n'est-ce pas ? Je veux dire, c'est le genre de choses qu'une femme peut dire à un ancien amant, pas à un élève. Simon ne lâchait pas prise. Un jour qu'il se trouvait en visite chez sa mère dans la région, il a forcé une rencontre. Comme par hasard, elle est venue lui ouvrir. Simon jure qu'il l'a immédiatement reconnue. Flattée par sa réaction, elle est revenue sur sa décision et l'a fait entrer. Ils ont bavardé tout l'après-midi. Il a appris qu'elle avait été mariée, qu'elle avait une fille et qu'elle était divorcée. Dieu seul sait ce qu'il a pu lui raconter ! Il a évidemment parlé de son manuscrit et elle a dit qu'elle voulait le lire. Il allait partir quand elle lui a annoncé qu'elle venait parfois à Paris pour des petites sorties culturelles. Simon lui a remis sa carte de visite en la priant d'appeler. Il était très excité en la quittant. La rencontre dont il avait rêvé pendant des années venait d'avoir lieu et ses illusions étaient intactes. Elle était toujours la femme charmante, cultivée qu'il avait adorée. Tu vois, le désir de rendre la réalité conforme à nos rêves est très puissant. Dans le cas de Simon, une rencontre n'a pas suffi à dénouer le fantasme élaboré pendant des années.

L'arrivée de deux employées mit momentanément fin au récit de Zoé.

— Ah ! c'est le temps du massage, dit-elle.

Claire mourait d'envie de savoir la suite mais, pendant une heure, son attention fut totalement mobilisée par le plaisir et la douleur que lui renvoyait son corps livré aux mains vigoureuses des petites masseuses. Chaque jointure, y compris les vertèbres dorsales, devait craquer. Ses membres étaient soumis à des torsions apparemment si violentes que Claire s'étonnait de les voir retrouver leur forme, intacts. Sa chair sauvagement pétrie se transforma en pâte à modeler qui ne serait jamais plus tendue. On n'épargna pas la plante des pieds, qui fut massée, grattée jusqu'à la reddition totale. On enduisit son corps d'une substance abrasive avant de le rincer et de l'envelopper dans des serviettes pendant qu'elle reposait dans la demi-pénombre. Ses inhibitions s'étaient complètement envolées et elle craignait de ne plus pouvoir se relever pour s'habiller, mais quand une employée lui remit ses vêtements, Claire se sentit reposée, comme si elle avait dormi pendant des heures. Elle comprenait maintenant que Zoé soit si attachée à ses séances.

Zoé reprit son récit là où elle l'avait laissé, dans le petit café arabe à côté du hammam où elles commandèrent un thé à la menthe.

— Je crains que la suite ne soit pas très réjouissante, dit-elle en remuant son thé. Je ne sais pas combien de fois il a vu son ancienne prof avant que les choses ne se gâtent, mais il est arrivé ce qui devait arriver. Simon a commencé à s'ennuyer et à inventer des excuses pour ne pas la voir quand elle appelait. Elle s'est faite plus insistante, refusant d'admettre la triste vérité : que Simon préférait fantasmer que passer des après-midi avec une institutrice à la retraite. Un jour, il a tout simplement oublié un rendez-vous et elle est venue le chercher à la maison. J'avais du chagrin pour elle et j'étais furieuse contre Simon de nous avoir mises dans une situation aussi embarrassante.

— Qu'est-ce que tu as fait ?

— Je l'ai invitée à entrer. Elle devait être curieuse de rencontrer sa rivale. La pauvre femme ne se rendait même pas compte que je n'étais pas une menace. Sa vraie rivale, c'était elle, plus jeune, un souvenir encapsulé dans l'inconscient de Simon. Il la voit encore, de temps en temps, un peu par devoir, comme on voit des cousins plus vieux qui vivent en province et dont il faut s'occuper. Il me tuerait s'il apprenait que je t'en ai parlé. Il a honte de toute cette histoire. N'en parle pas à Adrian, s'il te plaît. Tu comprends maintenant pourquoi je veux te dissuader de trop fouiller dans ton passé ?

— Promis, je ne dirai rien, mais tout cela me semble plutôt inoffensif, répondit Claire, qui ne comprenait toujours pas l'amertume de Zoé.

— Tu crois ? Ça a été une très mauvaise surprise, et j'aurais été moins malheureuse si Simon avait eu une maîtresse. Il m'arrive de le voir comme un étranger. Tu penses que tu connais quelqu'un et voilà qu'il se met à agir d'une façon qui ne lui ressemble pas. Impossible ensuite de le voir comme tu le voyais avant. C'est peut-être ce qui est arrivé à ta mère. Si tu découvres ce qui s'est vraiment passé, tu risques de te retrouver devant un tas de ruines, et toutes tes hypothèses détruites. Ce n'est pas agréable, Claire, crois-moi.

Zoé était au bord des larmes. Claire l'aurait serrée dans ses bras et aurait pleuré avec elle, mais elle savait qu'elles n'en tireraient qu'un soulagement momentané. Pour l'aider, il valait mieux donner un éclairage moins sombre aux agissements de Simon.

— Tu dois être très malheureuse, dit-elle en choisissant bien ses mots. Simon a recherché cette femme et cela a ébranlé ta confiance. En lui et en toi. J'ai toujours aimé Simon et je ne cherche pas à le défendre. Tu sais aussi à quel point je t'aime. Tu ne penses pas que tu exagères un peu la gravité de l'offense ?

En quittant le café, Claire passa son bras sous celui de Zoé pour retrouver un peu de l'intimité partagée au hammam.

— Tu passes ton temps à te plaindre de ta vie ennuyeuse. Voilà que Simon fait une chose qui sort de l'ordinaire et tu le considères comme un étranger. Il t'a fait comprendre que tout n'est pas si simple avec lui que tu le crois. Très bien. Qui sait où cela peut vous conduire ? Tu pourrais vivre avec quelqu'un dont tous les mouvements seraient prévisibles ? Ce serait vraiment monotone, non ?

Zoé sourit faiblement.

— Tu as peut-être raison. Je réagis sans doute de manière excessive, pas comme il le faudrait, du moins en ce moment. Ce matin, j'étais furieuse contre le chauffeur de taxi qui n'a pas suivi le chemin que je lui ai indiqué. J'ai un peu perdu la boussole émotive. Cela me fait du bien que tu sois là. Je me sens un peu moins folle. Merci de ton soutien, Claire.

— Alors, on est copines pour quoi ?

Claire se faisait du souci pour Zoé. Ce qu'elle avait dit ne changerait pas sa façon de voir Simon. Tout en marchant, elle essayait de les imaginer ensemble, comme elle l'avait si souvent fait à l'époque où elle leur enviait leur mariage, Simon et Zoé de bons partenaires de danse qui savaient toujours mettre en valeur le mouvement de l'autre. Mais en ce moment elle voyait deux êtres qui cherchaient à s'éviter. Depuis quelque temps, Simon était à prendre avec des pincettes et, bien qu'elle fût l'amie de Zoé, elle comprenait que Simon ait désespérément cherché à poursuivre son vieux rêve.

Le passé peut être source de réconfort et il n'avait aucune chance d'en trouver avec Zoé, en tout cas pas en ce moment. Mais Claire n'était pas mariée à Simon. Qui sait ce qui se tramait dans un vieux couple habitué à supporter les récriminations de l'autre depuis si longtemps ? Chacun doit ériger son propre système de défense pour survivre à long terme. Il se négocie d'étranges marchés dans un couple qui veut à tout prix sauver son mariage. Cette étrangeté vaut pour ceux qui sont à l'extérieur du couple. Claire avait vécu trois ans avec Adrian et elle voyait déjà que son mariage commençait à s'user, comme un tissu qui se fragilise par endroits et qu'il faut éviter d'effleurer si on veut le protéger de l'usure complète.

Elle songea à Rousseau, qui, à travers ses romans, avait tant exalté les relations féminines, pourtant si troublées dans sa vie. Même Thérèse, sa maîtresse silencieuse et soumise, s'était endurcie à mesure qu'il approchait de la fin. Elle avait fini par gagner en assurance et cela s'était parfois retourné contre Rousseau. Après sa mort, elle s'était mise en ménage avec un serviteur de la maison du marquis de Girardin et elle avait enfin pu se faire entendre. Dans cette seconde union, plus équilibrée, c'est elle qui menait le bal. Et comme gardienne de la légende du philosophe, elle fut pourchassée par les exégètes qui rivalisaient en obséquiosité pour se gagner sa faveur, et trouva sa propre gloire tout en restant extrêmement modeste. Ne s'était-elle pas demandé dans une lettre pourquoi on cherchait à faire une héroïne de la pauvre fille qui savait à peine lire et écrire et qui avait passé sa vie à laver les draps de Rousseau, à lui préparer sa soupe et à partager son lit ?

La question traversait les siècles, venait toucher Claire, qui s'interrogeait sur le mariage. Le tableau un peu triste que venait de lui brosser Zoé de la vie conjugale éveilla son impatience de retrouver Adrian. Elle gravit les escaliers de chez Marta — une fois de plus, le vieil ascenseur était en panne — en espérant qu'il y soit. Elle avait besoin de sa présence rassurante, besoin de vérifier que son regard s'illuminait en la voyant. Elle était sûre de pouvoir vaincre ses résistances quand elle lui annoncerait l'existence du lien nouveau, physique, qui les unissait. Claire savait qu'elle pouvait compter sur Adrian, malgré ses soucis, à condition de trouver les mots justes pour nommer son besoin. Il fallait aussi lui rappeler qu'il s'ennuyait d'elle. Livré à lui-même, Adrian avait tendance à s'oublier et à oublier ceux qui l'entouraient. Elle décida de suivre le conseil de Marta et de trouver un moyen de le distraire de sa recherche.

Chapitre 17

ADRIAN N'EUT PAS BESOIN DE SE FAIRE PRIER LONGTEMPS pour remettre son travail au lendemain. Il semblait au contraire réjoui de pouvoir y échapper. Le dîner s'étira agréablement dans un restaurant près du Palais-Royal et Claire ne souffla mot du bébé, de peur que la conversation empreinte d'affection n'en souffre. Elle hésitait encore en rentrant chez Marta, le bras d'Adrian tendrement passé autour de sa taille. Le moment était trop exquis, trop précieux pour risquer la confrontation.

Ces soirées sont si rares, songea-t-elle avec regret. C'est pourtant elle, au début, qui le taquinait, qui lui reprochait de la retenir prisonnière et de ne jamais vouloir sortir, voir d'autres gens. Elle protestait parfois, mais elle avait passé chaque minute de ces mois intenses à regarder Adrian dans les gestes les plus simples du quotidien, et cela dans une joie intense. Évidemment, cet état ne pouvait pas durer — elle aurait vécu en claustrophobe —, mais elle aurait souhaité revivre un peu de cette grâce intime à Paris. La présence constante de Marcel rendait la chose difficile.

Elle était chaque fois surprise de l'aisance avec laquelle ils ravivaient leur attachement, pour peu qu'ils s'en donnaient la chance, comme ce soir. Toutes les phrases banales échangées dans le quotidien — « Le courrier est arrivé ? » « Tu as des vêtements pour le teinturier ? » « Tu rentres quand ce soir ? » — étaient un langage codé qui masquait l'essentiel : « Même si je suis occupé en ce moment, je me rappelle très bien ce que je ressens quand je ne pense à rien d'autre qu'à toi. »

Le mariage avait ceci de bien : il était possible de redevenir amoureux, sans l'incertitude et les craintes des préludes d'approche entre deux étrangers. Elle s'était fait au rôle qui lui avait été dévolu dans le mariage : gardienne des sceaux de l'intimité — elle était celle qui, de temps à autre, obligeait Adrian à mettre son travail entre parenthèses, celle qui initiait les conversations plus légères et qui créait les turbulences requises pour stimuler les émotions. Adrian, à sa manière, appréciait cette division des tâches, témoignait à Claire sa gratitude par mille et une petites attentions. Il n'était pas avare d'affection quand les circonstances qu'elle avait initiées s'y prêtaient. Adrian était comme ces gens qui aiment bien nager mais qui ne s'en souviennent pas tant qu'on ne les emmène pas à la mer.

Franchissant la cour et les jardins de l'ancien Palais-Royal, ils marchèrent sous les arches de la double colonnade, qui abritaient des antiquaires et des galeries d'art. L'endroit était silencieux et déserté, un îlot protégé à la somptuosité déclinante qui tournait le dos au bruit et à l'agitation des rues voisines. Claire prit le bras d'Adrian et, faisant confiance à la belle harmonie qui présidait à cette soirée, chuchota :

— J'ai quelque chose à te dire.

— Je sais, dit-il en lui serrant le bras. On dirait qu'on ne s'est pas parlé depuis des siècles. Comment ça va avec la comtesse ? Tu te sens bien ? Tu as eu d'autres symptômes de panique ?

— Non, ça va. Le travail avance, mais ce n'est pas de ça que je veux parler. Il y a autre chose, de beaucoup plus important.

— Attends, dit-il soudain. Regarde comme le square est magnifique à cette heure. On imagine aisément les fantômes du passé dans un tel décor, tu ne trouves pas ? Il a déjà été un des terrains de jeux les plus populaires d'Europe. Magiciens, acrobates et avaleurs de sabres se montraient en spectacle. Le soir, tout cela se transformait en marché pour les plaisirs rapides, crus et dangereux, comme l'a décrit un historien. Tu te rends compte ?

Claire avait l'habitude : Adrian interrompait souvent les conversations pour commenter un détail qui retenait son attention ou pour exprimer une pensée qui surgissait devant une scène particulière. La première fois qu'elle lui en avait fait la remarque, il avait réagi avec stupéfaction. Ne comprenait-elle pas que, s'il attendait la fin de la conversation, ils risquaient de passer à côté d'une chose importante ? Bien sûr qu'il écoutait, mais cela ne le rendait pas aveugle, n'est-ce pas ? Elle s'était entraînée à tolérer ses éparpillements. Alors elle se taisait, sachant que dès qu'elle ouvrirait la bouche elle aurait de nouveau toute son attention, mais elle savourait la perspective d'ébranler son assurance.

Dès qu'ils eurent quitté le square, Adrian se reporta sur la conversation qu'il avait interrompue. Il fallait lui donner ça.

— Tu avais quelque chose à me dire ? demanda-t-il, son bras l'enserrant toujours. Qu'est-ce qu'il y a ?

Claire se retourna pour lui faire face. Il semblait si détendu, si insouciant, le regard plein de tendresse. Elle se sentit comme un bourreau sur le point d'asséner le coup de grâce, mais elle chassa aussitôt cette pensée, consciente que ce n'était pas lui qui avait le plus besoin de sa protection.

— On va avoir un bébé, dit-elle, en essayant de garder une voix égale.

L'expression d'ahurissement sur le visage d'Adrian était presque comique.

— Qu'est-ce que tu racontes ?

— Je suis enceinte.

— Quoi ? Mais c'est pas possible ! C'est arrivé comment ?

— Tu sais que j'ai arrêté de prendre la pilule. Les diaphragmes ne sont pas aussi fiables. La preuve...

— Et moi qui croyais que tu faisais attention !

Claire n'apprécia pas le ton vaguement accusateur.

— Je n'ai rien planifié, si c'est ce que tu laisses entendre. J'ai été aussi surprise que toi.

À court de mots, Adrian la toisait d'un air incrédule. Elle eut presque pitié de lui mais, quand il ouvrit de nouveau la bouche, sa sympathie fit place à la colère.

— Il est trop tard pour un avortement ? dit-il en se remettant à marcher.

C'était donc ça, sa première réaction ! Elle s'attendait vraiment à autre chose. Elle sentait monter des larmes de dépit et elle devait lutter pour les retenir.

— Non, il n'est pas trop tard, mais ce n'est pas ce que je veux.

Elle fut surprise de l'assurance de sa voix.

— Tu ne penses pas sérieusement mener cette grossesse à terme ? Nous avions convenu de ne pas avoir d'enfant. Tu étais d'accord.

— C'était ta décision. Je l'ai acceptée parce que, à l'époque, tes sentiments étaient plus forts que les miens. Maintenant, tout a changé.

— Y as-tu bien pensé ? Sais-tu dans quoi tu t'engages ? Et tous les voyages que tu fais pour ton boulot ? Tu ne sais pas à quel point un enfant peut compliquer une existence.

— Il y a des tas de gens qui s'en tirent bien, pourquoi pas nous ? De toute façon, j'en ai marre d'être à la merci des clients de Lucinda. Marre qu'elle me dise que le boulot que je n'ai pas envie de faire est formidable pour ma carrière. J'en ai marre aussi d'avoir une carrière. Je voudrais m'occuper de mes propres trucs, pour une fois. J'y songeais même avant d'être enceinte. Les crises de panique ont au moins eu ça de bon qu'elles m'ont fait reconsidérer ma façon d'approcher mon boulot.

— Je crois que tu n'y as pas encore assez réfléchi. D'une part, tu ne pourrais plus mettre les pieds dans la chambre noire si tu persistais à aller au bout de ce projet insensé. Tu as pensé aux effets des produits chimiques sur le fœtus ?

Claire perdit pied un instant. Non, elle n'avait pas pensé à la chambre noire. La sentant faiblir, Adrian adoucit le ton.

— Allez, Claire, dit-il en l'attirant près de lui, nous avons été tellement heureux ensemble. Pourquoi risquer de tout gâcher ?

Elle se dégagea de son étreinte. Elle ne s'était jamais sentie aussi loin de cet homme.

— Je ne serais pas heureuse si je faisais ce que tu me demandes de faire.

Elle avait même du mal à imaginer qu'ils avaient pu être heureux. Voulait-elle vraiment d'un enfant avec cet homme insensible ?

Mesurant mal l'état dans lequel se trouvait Claire, Adrian lui caressa doucement le cou.

— Je ne veux pas perdre ce qu'on a gagné. La passion, la liberté, la spontanéité. Je sais ce que ça implique, un enfant : le bouleversement de notre univers. J'adore Melissa, mais j'ai du mal à m'imaginer en train d'élever un autre enfant ou de courir après un petit. Nous n'avons pas besoin de décider maintenant, mais essaie d'y réfléchir.

Ce ton qui se voulait rassurant irritait Claire davantage que les propos confus de tout à l'heure. Adrian gagnait en assurance tandis qu'elle se sentait faiblir.

— Je propose que tu y penses, toi aussi, dit-elle. Si la paternité ne t'intéresse plus, il n'est pas dit que je n'aurai pas cet enfant seule. Cela non plus ne serait pas très bon pour notre intimité, n'est-ce pas ?

Adrian sembla reculer devant sa détermination. Elle se montrait heureusement plus convaincue qu'elle ne l'était en réalité.

— Très bien, finit par répondre Adrian d'un ton neutre, prudent. Je vais y réfléchir. On va y réfléchir tous les deux.

Ils étaient tout près de chez Marta. Le brouillard s'épaississait, la lumière des lampadaires était plus tamisée et ils avançaient à tâtons. Cela désamorçait la tension. Momentanément, la trêve était déclarée. Quand Adrian lui prit le bras pour la guider dans le noir, elle ne le retira pas.

Claire fut déçue de constater que Marta ne dormait pas. Elle n'était pas d'humeur à engager une nouvelle conversation.

— Tu viens de rater Antoine, dit Marta en parlant de son petit-fils. Ce garçon n'a aucune notion du temps. Il dort toute la journée et passe ses nuits à errer dans Paris. Il est venu me demander des sous. J'ai l'impression qu'il a des ennuis. Inutile de demander ce qui se passe à Louise ou à son mari, ils se contenteraient de me reprocher de lui avoir donné un peu d'argent. Mais qu'est-ce que je peux faire? Je refuse de m'en laver les mains comme font ses parents. Je ne sais pas comment je vais arriver à dormir, mais je ne vous retiens pas plus longtemps. Vous devez être épuisés.

Adrian lança à Claire un regard plein de sous-entendus comme pour dire : « Tu vois ce que ça donne, les enfants », puis se dirigea vers la chambre à coucher. Claire tenta de détourner Marta de ses soucis en la complimentant sur l'énorme bouquet de roses qui trônait sur la cheminée dans le salon. Il n'était pas là quand elle avait quitté la maison.

— Elles sont magnifiques, n'est-ce pas? concéda Marta, laissant un sourire adoucir ses traits marqués par l'inquiétude. C'est Henri qui me les a apportées. Je vais te dire une chose, mon enfant. Si tu veux qu'un homme t'apporte des fleurs, il faut choisir un amant, pas un mari.

Claire était si lasse qu'elle eut soudain l'impression d'être infiniment plus vieille que Marta, si douée dans son rôle d'éternelle femme fatale. Zoé avait raison en disant qu'elles n'arrivaient pas à la cheville des femmes de la génération de Marta.

— J'essaierai de me le rappeler. Pour le moment, je suis crevée. Il faut que je dorme.

— Eh bien! s'il le faut... répliqua Marta, un peu déçue. Heureusement qu'il y a Gertrude. Elle accepte qu'on vienne la distraire à toute heure.

Chapitre 18

Les jours suivants furent particulièrement agités. Claire et Adrian n'eurent pas de mal à éviter toute discussion. Les mots très durs échangés quelques jours plus tôt avaient ouvert une brèche et ils ne souhaitaient pas la creuser davantage. Effarés par la vitesse avec laquelle les certitudes avaient fait place à l'hésitation, ils n'osaient presque plus parler. Ils se réfugièrent dans un silence protecteur, épiant le moindre signe d'adoucissement qui marquerait un changement d'humeur.

Les problèmes de leurs amis venaient comme une diversion opportune. Il était beaucoup plus simple de parler des autres que de soi.

Claire fut étonnée d'apprendre que l'exquise Sophie, cette jeune femme qu'on aurait dit coiffée d'une couronne invisible qui lui donnait droit au meilleur de l'existence, venait d'emménager chez Marcel. Que lui trouvait-elle ? se demanda Claire. Et comment avait-elle réussi à se tailler une niche dans cet appartement encombré où nul n'était jamais convié ? Marcel avait dû déplacer quelques-uns de ses précieux bouquins pour lui faire une place. « Une phénoménale déclaration », se dit Claire.

La colère d'Adrian, lorsqu'il apprit la nouvelle, la surprit.

— Ce n'est pas la première fois qu'un professeur se met en ménage avec une de ses étudiantes, dit-elle pour le calmer. Ce genre de liaison est mieux toléré en France.

— Là, tu m'étonnes ! Toi, défendre Marcel ! Ma main au feu que les parents de Sophie ne sont pas si tolérants que tu le crois. Il a deux fois son âge et il a abusé de son amitié et de son pouvoir de prof. Tu te rends compte que Sophie n'a que quelques années de plus que Melissa ? Maintenant je comprends qu'il m'évite.

Claire n'était pas dupe. Melissa n'avait rien à voir dans sa colère. Adrian souffrait plutôt d'avoir été lâché par son ami. Ses discussions avec Marcel sur l'évolution de ses recherches étaient devenues une habitude dont il ne pouvait se passer. La disparition de Marcel et la grossesse de Claire risquaient de nuire à ses travaux. Claire souffrait de le voir ainsi, mais elle ne céderait pas pour autant à sa demande. La décision se prendrait à froid.

Les parents de Sophie réagirent comme Adrian l'avait prévu. Quand ils virent qu'il était impossible de convaincre leur fille de quitter Marcel, ils s'en remirent à Zoé, dont la spécialité consistait à aider des adolescents et des jeunes adultes à résoudre leurs problèmes. Elle réussit à calmer Gilbert et Anne-Marie et leur recommanda la patience. À Claire, elle avoua toutefois être troublée par la tournure des événements.

— Mon Dieu ! si Juliette faisait une bêtise pareille, je crois que je mettrais de côté toute la théorie pour la ramener de force à la maison.

Tandis que la tempête faisait rage autour de son comportement soi-disant scandaleux, le couple fautif disparut sans crier gare. L'année universitaire était finie, ils pouvaient être n'importe où. Adrian ne fit aucun effort pour retrouver Marcel, et Marcel, où qu'il fût, ne se manifesta point.

Entre-temps, Marta se faisait du souci pour son petit-fils. Après avoir emprunté de l'argent à sa grand-mère, Antoine s'était volatilisé. Ses parents ne s'inquiétaient pas trop de ces absences puisqu'il lui arrivait parfois de ne pas se montrer pendant des jours avant de refaire surface pour manger ou se doucher.

Marta était scandalisée de leur indifférence et Claire l'entendit sermonner sa fille sur la responsabilité parentale, mais elle ne souffla mot sur l'argent prêté à Antoine. Louise lui reprochait d'encourager la fainéantise d'Antoine. Ces angoisses entre parents et enfants étaient un signal pour Claire qui envisageait maintenant la maternité. Elle tenta de son mieux de rassurer Marta. Elle connaissait mal Antoine, mais il semblait parfaitement capable de se débrouiller. Une semaine après sa disparition, Marta reçut une carte postale d'Amsterdam. Antoine lui disait de ne pas s'inquiéter. Il vivait là avec des copains et n'envisageait pas de rentrer.

L'inquiétude de Marta augmenta. Amsterdam était la capitale de la drogue en Europe et Antoine n'avait sûrement pas choisi cette ville par hasard. Elle appréhendait le pire et soutenait qu'il fallait absolument faire quelque chose avant qu'il ne soit trop tard. Elle convoqua son gendre, avec qui elle s'entendait mieux qu'avec Louise, et elle le supplia d'aller chercher Antoine. Le gendre lui prêta une oreille attentive mais rejeta son plan. Il aimait bien Marta et il aurait souhaité que Louise lui ressemble davantage — l'intransigeance de sa femme rendait impossible toute discussion sur Antoine. Ce ne serait toutefois peut-être pas une mauvaise chose qu'Antoine ne se montre pas à la maison pendant quelque temps. D'une part, sa présence alourdissait l'atmosphère et, d'autre part, on se procurait aussi facilement de la drogue à Paris qu'à Amsterdam. Non, vraiment, il ne voyait pas l'utilité d'aller le chercher.

Marta pleura après le départ de son gendre et décida de partir seule à la recherche d'Antoine, même s'il n'avait pas laissé d'adresse sur la carte. Claire, Adrian et même le fidèle Henri tentèrent de l'en dissuader, suggérant plutôt d'attendre qu'il se manifeste de nouveau. Claire appela Zoé à l'aide, qui vint dire à Marta qu'au meilleur de sa connaissance et de sa pratique personne ne pouvait aider Antoine s'il ne décidait pas lui-même de s'aider. Louise s'en mêla et, pleine de défiance, vint accuser sa mère de les éloigner d'Antoine en cédant systématiquement à ses caprices. Si Marta allait le chercher à Amsterdam, prétendait Louise, cela prouverait qu'elle-même, sa propre mère, était inadéquate.

Marta prit note de toutes les doléances, y compris celles de sa fille, avec un calme exceptionnel et continua ses préparatifs. Elle passa des heures au téléphone, à discuter avec des conseillers dans des centres de crise sur la manière de se comporter avec les fugueurs et les toxicomanes. Elle amassa une liste de suggestions et de noms de gens avec qui elle pourrait communiquer à Amsterdam. Durant les quelques rares moments où elle délaissait son enquête, elle fondait en larmes et avouait à Claire souffrir affreusement de la réaction des parents d'Antoine. Faute de pouvoir le supporter ils étaient prêts à l'abandonner. Il fallait qu'Antoine sente qu'au moins une personne tenait suffisamment à lui pour tenter l'impossible. Trop de gens baissent les bras, dit Marta, n'osent pas intervenir dans la vie des autres. Elle ne commettrait pas cette erreur avec son petit-fils.

— L'égoïsme et l'indifférence passent pour de la politesse et du respect de la vie privée, dit-elle en faisant ses valises. En réalité, on évite de s'engager parce que c'est trop compliqué.

Puis elle partit, en promettant à Henri, Claire et Adrian d'appeler souvent.

Claire avait choisi son camp. Elle était solidaire de Marta. Elle admirait sa volonté de se battre pour son petit-fils quand tout le monde était prêt à le laisser tomber. Si quelqu'un pouvait aider ce garçon, c'était bien Marta. Quand le téléphone sonna le lendemain, Claire pria que ce fût elle avec de bonnes nouvelles. C'était Gertrude, l'amie de Marta, qui venait aux nouvelles et qui en profita pour inviter Claire à lui rendre visite. Claire hésita avant d'accepter, mais elle se dit finalement que prendre la place de Marta, c'était aussi la soulager d'une de ses nombreuses tâches. Gertrude, prisonnière de son appartement à cause de son mari, souffrait certainement de l'absence de Marta.

Claire trouva Gertrude beaucoup plus calme que la dernière fois. Jacques était sorti. Deux fois par semaine, on venait le chercher pour l'emmener dans un centre spécialisé pour patients atteints d'Alzheimer, et Gertrude pouvait respirer pendant quelques heures.

— Il est fou de joie dès qu'il voit arriver le car, dit-elle. Et si on ne le ramenait pas, il ne s'en rendrait même pas compte. Je m'attends d'un jour à l'autre à ce qu'il rentre d'une de ses sorties et qu'il ne me reconnaisse pas.

Occupée à verser le café, Gertrude resta un moment silencieuse. Ses gestes, précis, cérémonieux, s'accordaient à l'ordre presque stérile qui régnait dans l'appartement. En avait-elle retiré tout le superflu à cause de Jacques ?

Claire se sentait moins douée que Marta pour alléger l'atmosphère. Elle rompit le silence, qui devenait gênant, en répétant plus ou moins ce qu'un neurologue qu'elle avait photographié pour un magazine lui avait dit de la maladie d'Alzheimer. Tout en se concentrant sur son équipement et l'effet recherché, elle savait mettre ses sujets à l'aise en les encourageant à parler d'eux-mêmes. L'esprit ailleurs, Gertrude répondait sur le même mode automatique.

Claire ne la connaissait pas assez bien pour deviner ce qui la préoccupait. Elle ne savait plus qu'inventer et commençait à penser au départ. Gertrude, la voyant chercher son sac, s'arracha de son somnambulisme et parut soudain désireuse de la retenir.

— Pardonnez-moi d'être de si mauvaise compagnie, dit-elle en esquissant un sourire pincé. Si vous le voulez bien, ne parlons plus de Jacques et de cette atroce maladie. Je vous ai demandé de venir pour une raison précise, mais j'ai du mal à trouver les mots justes. Ce ne sera pas facile de dire ce que j'ai à vous dire. Il s'agit de votre mère et de Marta, dit Gertrude en regardant Claire dans les yeux pour la première fois.

Claire tourna la tête, fixa la fenêtre fermée, incapable de soutenir le regard de Gertrude. Pour la première fois depuis son arrivée en France, elle sentit monter une bouffée d'angoisse qui ne tarderait pas à l'envahir complètement. Son cœur se mit à battre fort. Sa tête allait exploser et elle avait du mal à respirer. Elle voulait fuir, sortir de la pièce pour ne plus entendre cette voix. Elle était sur le point d'apprendre la vérité — Gertrude lui ferait certainement d'importantes révélations —, mais elle n'était plus sûre de vouloir les entendre. Toutes les techniques de détente qu'elle avait si patiemment apprises ne lui furent d'aucun secours, mais elle réussit à rester dans la pièce. Elle ne fit qu'une concession à ce corps qui réagissait avec autant de force : elle demanda la permission à Gertrude d'ouvrir la fenêtre.

Lorsqu'elles furent de nouveau assises l'une en face de l'autre, Gertrude commença son récit.

— Marta m'a parlé de ses craintes chaque fois que vous lui posiez des questions sur Dolly. Ne vous vexez pas, Marta est une vieille amie et je comprends sa réserve. Cela a été une période très douloureuse pour elle. Je connais toute l'histoire parce que Marta s'est toujours confiée à moi. Je suis peut-être la seule, avec elle bien sûr, à savoir ce qui s'est passé. Les autres sont morts. Je lui ai dit que vous aviez le droit de connaître la vérité. Mais comme Marta ne veut pas ou ne peut pas en parler, je sens qu'il est de mon devoir de le faire. Les morts n'ont pas le droit d'emporter leurs secrets dans la tombe quand ces secrets soulèvent des questions douloureuses qui restent sans réponse. J'espère que Marta me pardonnera.

Claire s'étonnait de n'avoir jamais songé à Gertrude dans sa quête obsessionnelle. Quelle invraisemblable source de renseignements ! Il était difficile d'imaginer Marta se confiant à ce triste personnage, si distant. Regrettait-elle d'avoir fait confiance à Gertrude ? Ceci expliquerait qu'elle lui ait recommandé la prudence avec Zoé ? La voix neutre, calme de Gertrude, apaisa ses craintes.

— Je veux connaître la vérité, dit-elle pour ajuster son ton à celui de Gertrude. Je vous en prie, continuez.

Gertrude hocha la tête et lissa ses cheveux gris très courts avant de se pencher.

— Il n'y a pas de façon douce de dire les choses. Votre mère et Bruno, le mari de Marta, étaient amants. La ferveur politique de Bruno attirait les femmes. Son engagement et sa rigueur en faisaient un être plus grand que nature, malgré sa constitution fragile. Je ne pense pas que Bruno et Dolly aient vraiment cherché à tomber amoureux, mais c'est arrivé et ça a été le coup de foudre. Ils n'auraient pas pu l'empêcher, pas plus que Jacques ne peut se retenir de balayer la cour.

— Ça a duré longtemps ?

— Marta était à Zurich. Elle participait à un congrès de traducteurs. C'est là que tout a commencé. Ils avaient l'intention d'y mettre un terme à son retour, mais ils n'y sont pas arrivés. Ça a continué discrètement. Ce n'était pas facile ni pour Dolly ni pour Bruno de mentir à Marta. Ça ne leur ressemblait pas, mais ils voulaient la protéger. Ils savaient que ça ne mènerait nulle part et ils croyaient pouvoir le cacher jusqu'au départ de Dolly. Comme ça, Marta n'aurait jamais rien su. Ce genre de situation tourne presque toujours mal. Tôt ou tard, le voile qu'on tisse habilement pour masquer la vérité finit par se déchirer de manière inattendue. Dans leur cas, le fil d'Ariane était visible. Depuis la nuit des temps, c'est celui de la défaite des femmes. Dolly s'est retrouvée enceinte. Elle n'a rien dit, pas même à Bruno, et elle s'est fait avorter. Il est sans doute difficile pour les gens de votre génération d'imaginer les mesures extrêmes auxquelles les femmes de ma génération avaient recours pour se faire avorter. Et Dolly se trouvait dans une ville étrangère, refusant l'aide de quiconque, pas même de ses amis. Il y a eu des complications et elle a fait une hémorragie peu de temps après son retour à l'atelier. Elle serait sans doute morte si Marta, qui s'inquiétait de ne pas pouvoir la joindre, n'était pas allée aux nouvelles. Elle a dû convaincre la concierge de la laisser entrer dans l'appartement et c'est là qu'elle a trouvé Dolly, presque inconsciente, qui saignait abondamment.

Malgré elle, Claire gémit entre ses lèvres closes. Elle gardait les bras croisés, serrés contre son ventre, comme pour parer un coup violent. Gertrude la regarda un instant avant de poursuivre.

— L'histoire a éclaté au grand jour. Pendant que Dolly se remettait à l'hôpital, Bruno a avoué ce qui s'était passé. Les choses ont fini par s'arranger. Ces trois-là éprouvaient l'un pour l'autre une affection plus grande que leur sentiment de trahison ou de culpabilité. Je crois au fond qu'aucun ne s'est jamais tout à fait remis de cette tragédie. Quand Marta m'a parlé de vos questions, j'ai compris que Dolly était rentrée à Montréal avec son chagrin. Et parce que les enfants ont tendance à se croire coupables de la tristesse de leurs parents, je me suis dit que vous aviez le droit de savoir.

Gertrude s'arrêta dans l'espoir que Claire manifeste son assentiment. Claire hocha la tête, elle avait peur d'ouvrir la bouche.

— C'était à Marta de vous le dire, ajouta Gertrude comme pour se justifier auprès de l'absente. Son silence m'a obligée à vous parler.

Tôt ou tard, Claire mettrait en doute les motifs invoqués par Gertrude pour justifier la trahison du secret de Dolly mais, ce jour-là, abasourdie par ces révélations, elle n'avait aucun recul. Il pleuvait à verse quand elle sortit de chez Gertrude, mais elle ne chercha pas à se protéger. La marche était la seule chose qui pouvait l'apaiser. Gertrude avait ouvert une porte inconnue sur le passé. Il reviendrait désormais à Claire d'en mesurer les conséquences.

Plus rien ne serait comme avant. Claire n'éprouvait aucune compassion pour Dolly. Cela viendrait peut-être avec le temps. Pour le moment, l'amertume semblait s'imposer. Elle songea à la petite fille qu'elle avait été, au foyer paisible et agréable dont elle n'avait jamais douté, puis aux mystérieux changements au retour de sa mère de Paris. Comment Dolly avait-elle pu faire si peu de cas du bonheur qu'ils avaient partagé ? Comment avait-elle pu risquer sa famille, son amitié pour Marta, son travail, pour une passion condamnée d'avance ? Et quels avaient été les sentiments de Marta pour Claire, la fille de l'amie qui l'avait trahie ? Devant la vérité du drame de Dolly à Paris, tout ne semblait que souffrance et désarroi.

Était-ce un conte prémonitoire, un avertissement d'outre-tombe adressé par Dolly à sa fille ? Claire ne voulait pas que le chagrin de sa mère influence sa propre décision, mais une certitude s'installait au sujet de l'enfant qu'elle portait. Elle n'avait pas tenu compte des objections pratiques soulevées par Adrian. De toute façon, elles n'avaient aucune prise. Claire s'attardait davantage sur un sentiment profond, sur cette flambée de désir pour l'enfant à naître qu'elle regardait s'allumer, vaciller par moments, jusqu'à ce que le brasier semble inextinguible. Même là, sous la pluie battante, l'esprit en cavale, elle en voyait la lueur grandissante. Elle était épuisée et peu encline à pardonner à sa mère en faisant route vers la maison, où Adrian l'attendait.

— Claire, tu te rends compte de l'heure qu'il est ? s'exclama Adrian. Où étais-tu, enfin ? Je commençais à m'inquiéter.

Sa sollicitude l'étonna, mais elle y puisa du réconfort. En dépit de tous les mots durs, il se faisait encore du souci pour elle.

— Je suis navrée, dit-elle avant de fondre en larmes.

— Là, là...

Il l'attira contre lui et lui caressa doucement les cheveux.

— Tu ne penses pas que tu devrais te reposer? Tu as l'air épuisée.

Sa tendresse fit basculer le fragile équilibre maintenu depuis son départ de chez Gertrude et elle redoubla de sanglots. Adrian n'exigea aucune explication et elle lui en sut gré. Elle n'était pas prête à parler de Dolly et elle s'accrochait solidement à son homme. C'était bon de se retrouver dans ses bras. « Il m'aime, il s'y fera », se répéta-t-elle jusqu'à ce qu'elle ait retrouvé son calme.

— Ça va mieux maintenant? demanda-t-il après un moment.

Elle hocha la tête.

— Bien. J'ai de bonnes nouvelles. Marta a appelé pendant ton absence. Elle a retrouvé Antoine. Ils rentrent demain à la maison.

Chapitre 19

MARTA ÉTAIT ÉPUISÉE MAIS TRIOMPHANTE. « Je suis un peu fatiguée, dit-elle à Claire qui s'inquiétait de son état. J'ai attrapé quelque chose à Amsterdam et je n'arrive pas à m'en débarrasser. » Marta n'était pas la même. Beaucoup moins agitée, elle n'avait plus ces gestes prompts qui animaient tous ses mouvements et faisaient oublier son âge. Marta avait soudain l'air usée et fragile, et c'est une vieille dame aux pas traînants, aux yeux bouffis et larmoyants qui gagna son lit en poussant un soupir de soulagement.

Claire fut alarmée par ces signes de faiblesse. Ses soucis attendraient. Dans l'état où se trouvait Marta, il eût été indécent de lui imposer une discussion, quelle qu'en soit l'urgence. Elle n'avait rien révélé de son entretien avec Gertrude. Elle attendrait que Marta confirme ses dires avant d'en parler. Claire la laissa reprendre des forces.

Elle n'avait pas eu trop de mal à retrouver Antoine.

— Au début, j'étais désespérée, confia-t-elle à Claire. Il y a tellement de jeunes désœuvrés à Amsterdam, et ils se ressemblent tous, d'où qu'ils viennent. C'est le portrait de la nouvelle Europe, là-bas. Des enfants sans patrie, mais qui ont leur propre société. Même ceux qui viennent de pays détruits par des conflits ethniques semblent avoir abandonné ces haines séculaires comme autant de mauvais rêves. Ils partagent une culture, la musique, la drogue et une méfiance profonde pour toutes les idéologies qui s'avère plus irrésistible que tout ce qu'on leur a appris chez eux. Quand je me suis trouvée au milieu de ces jeunes, j'ai pensé aux semaines éprouvantes passées à chercher Bruno, qui s'était fait arrêter pendant une manifestation sanglante contre l'occupation française en Algérie. J'avais peur qu'on le déporte et il fallait le trouver avant que ça n'arrive. Il n'en était pas à sa première arrestation, mais la lutte était plus dure, un peu comme aux États-Unis pendant la guerre du Viêt-nam. C'était une course contre la montre. Il était en danger. Je me souviens de journées entières passées à courir d'une préfecture à l'autre, à emprunter de l'argent pour acheter le moindre renseignement qui me conduirait à lui. J'étais jeune. À Amsterdam, Dieu merci ! je n'ai mis que deux jours à retrouver Antoine. Je suis allée dans un refuge pour jeunes sans domicile fixe et il était là, pauvre petit garçon perdu. Tu ne sais pas ce que ça m'a fait de le voir là, dans une telle misère…

— Et lui, comment il a réagi ? Il devait être étonné de te voir.

— Étonné, mais soulagé. Il a tout avoué. Sa virée avec les prétendus copains n'a duré que quelques jours. Il avait faim, il se sentait seul et il avait trop honte pour rentrer. Il a reconnu qu'il prenait de la drogue depuis des années. Rien de sérieux, m'a-t-il dit, mais il admet avoir besoin d'aide. Il a déjà suivi un traitement dans un centre, mais ça n'a pas duré. Pas étonnant que ses parents en aient eu marre. J'aurais préféré qu'ils m'en parlent ; ça aurait évité bien des disputes. Cette fois, je crois qu'Antoine est sérieux. Ça a été un choc pour lui de voir sa mamie le chercher à travers l'Europe. En tout cas, ça ne l'a pas laissé indifférent. Quand j'aurai regagné mes forces, je demanderai à ton amie Zoé qu'elle m'aide à dénicher un bon centre pour lui. Je suis confiante. Après tout, il doit bien avoir hérité d'un peu de la force de Bruno.

Claire s'interrogea un moment. Qu'aurait fait Bruno, cet homme extrêmement discipliné qui avait consacré sa vie à la défense d'un idéal, devant ce petit-fils qui traversait l'existence sans but ? Ils auraient peut-être trouvé un terrain d'entente. N'étaient-ils pas tous les deux en révolte contre la société ?

— Pendant que je cherchais Antoine à Amsterdam, reprit Marta comme si elle avait lu dans les pensées de Claire, je ne pouvais pas m'empêcher de penser à la différence entre ma génération et la sienne. La vie de ces jeunes semble si ennuyeuse, si monotone, comme si l'univers entier tournait autour de leur nombril et que rien d'autre ne pouvait les intéresser. Pourtant, Dieu sait si on s'est trompés, parfois, mais nous avions au moins quelque chose à défendre. La vie avait un sens parce qu'on y mettait la passion, la foi et l'espoir. Pas étonnant qu'Antoine et ses copains se rabattent sur la drogue, c'est une façon de sentir quelque chose. Je ne dis pas que ça me réjouit de vieillir, mais je n'aimerais pas retourner en arrière et me sentir étrangère au monde qui m'entoure, comme eux.

Claire restait près de Marta, au cas où l'occasion se présenterait de lui parler.

— Tu es tout ce qu'on peut rêver d'une fille, lui dit Marta, pleine de reconnaissance.

Claire, qui avait tant attendu ces paroles, se sentait coupable. Ne prenait-elle pas soin de Marta pour pouvoir, quand elle serait remise, exiger enfin la confession de ses cruels souvenirs ? Par moments, Claire voyait les soins qu'elle prodiguait à Marta comme le prix à payer pour la trahison de Dolly.

Car Dolly les avait trahies toutes les deux. Sa vie à Paris, d'après les révélations de Gertrude, n'avait rien à voir avec l'univers calme et réconfortant des deux êtres qui l'attendaient à Montréal. Quand Dolly était enfin rentrée, elle était redevenue une bonne mère et une bonne épouse, du moins en apparence, alors que ses pensées volaient vers un monde qui n'était pas celui de sa fille et de son mari. À preuve, elle n'avait jamais pu se remettre à la sculpture. Claire s'était tant réjouie des lettres qu'elle recevait de Paris, des missives qu'à sa manière elle continuait, une habitude prise quand elle était enfant et qui consistait à décorer de petits dessins les billets qu'elles s'échangeaient l'une et l'autre.

La résurgence de ces souvenirs était douloureuse. Les lettres de Dolly étaient des mensonges, de jolis mensonges pleins d'imagination et de fioritures pour masquer la vérité. Ces mensonges avaient peut-être éloigné Dolly de son travail. De tout temps, son art avait traduit quelque chose de très personnel et si, dans les circonstances, elle s'y était adonnée, il aurait pu révéler ce qu'elle essayait de cacher. S'était-elle censurée pour protéger sa famille? La colère de Claire vacillait. Elle se rendait bien compte que sa perception de Dolly était une sorte de trompe-l'œil émotif. Il suffisait d'imaginer une autre femme, une artiste, pour éprouver une véritable compassion mais, dès que Dolly redevenait sa mère, Claire n'arrivait pas à lui pardonner.

Deux jours après son retour, Marta redevenue elle-même, était de nouveau sur pied. Zoé vint discuter à la maison d'un plan de traitement pour Antoine. Au cours d'une conversation téléphonique avec sa mère, Louise avait admis à contrecœur que les efforts de Marta portaient des fruits. Antoine semblait prêt à tout pour s'en sortir. Il avait discuté avec ses parents pour la première fois depuis des années. Zoé promit de ne rien négliger pour lui trouver une place dans un centre, de préférence assez loin de Paris.

Claire raccompagna Zoé au métro. Zoé n'était qu'éloges pour Marta :

— C'est une force de la nature. Sans elle, je ne suis pas sûre qu'Antoine s'en serait si bien tiré. Je ne sais pas si ça te fait le même effet, mais moi, une femme comme elle, ça me donne envie de me coucher en attendant que la tempête passe. Je me demande si on pourra un jour se mesurer aux gens de sa génération, je parle des meilleurs. On dirait qu'ils sont faits de roc. Même ma mère, ma propre mère, une femme plus conservatrice, possédait une force intérieure devant le malheur que je ne possède pas. C'est peut-être cruel de dire une chose pareille mais, dans un sens, tu as eu de la chance de perdre ta mère à douze ans. Elle n'a pas pu te porter ombrage. Et d'après ce que tu m'as dit, c'était vraiment une personne remarquable.

Claire ignora l'allusion à Dolly.

— Je crois que si on se sent inadéquat, par rapport à la génération de Marta, dit-elle sur le ton le plus neutre possible, c'est que nos vies ont été plus protégées que les leurs. Paradoxal, non ? Nous avons plus de choix parce qu'on vit dans un monde où les femmes sont libérées de la plupart des contraintes qui les tenaient prisonnières. En théorie, il n'y a plus de limites à nos ambitions. On n'a pas le droit de ne pas tenir nos promesses. En cas d'échec, nous sommes les seules responsables. Il n'y a plus de lutte, on ne peut donc plus se mesurer aux obstacles que ces femmes devaient surmonter. Ces difficultés leur donnaient ce ressort que tu admires tant.

— Tu as peut-être raison. D'ailleurs je ne me sens pas à la hauteur en ce moment. On dirait que je lâche tout et puis j'évite les sujets délicats. J'observe Simon qui abrite sa dépression derrière les journaux du soir. Je sens la tension monter entre Christophe et son père et les reproches muets de Juliette, qui me sont surtout adressés. Malgré cela, je ne fais rien. Je préside le repas du soir en m'infligeant de vains efforts pour égayer l'atmosphère, en espérant arriver au dessert sans trop de casse. C'est tout ce dont je suis capable actuellement.

Zoé avait un net penchant pour l'autoflagellation, cela faisait partie de son style. Claire le savait et ne la prenait jamais trop au sérieux. Son éducation orientale, où les bonnes manières exigeaient un semblant d'humilité, y était sans doute pour quelque chose. Claire n'en fut pas moins troublée de déceler dans la voix de son amie une note de désespoir.

— La situation ne s'est pas arrangée avec Simon, n'est-ce pas ? demanda-t-elle en serrant Zoé dans ses bras. C'est ce qui sape ta confiance. Laisse Simon résoudre lui-même ses problèmes. C'est toi qui m'inquiètes. Tu n'es pas comme Marta, ou comme ta mère, ni comme aucune de ces femmes indestructibles à qui tu voudrais ressembler. Et alors ? Moi non plus. Si on était comme elles, on ne pourrait pas être copines. Toi, tu es une extraordinaire thérapeute, une merveilleuse mère, une formidable hôtesse et la meilleure amie qu'il m'ait été donné de connaître. Crois-moi, tu es aussi bien meilleure cuisinière que Marta ne le sera jamais. Je continue ?

— Arrête, dit Zoé en riant, je vais rougir.

Lorsqu'elles furent devant l'entrée du métro Châtelet, Zoé se tourna vers Claire et demanda sur un ton faussement plaintif :

— Comment je vais faire quand tu seras rentrée à Montréal ? Tu es la seule personne sur qui je peux compter ces temps-ci. Maintenant que Marta va mieux, promets-moi de me remettre sur ta liste de priorités.

Sur le chemin du retour, Claire croisa Adrian qui rentrait de la bibliothèque. Elle le vit la première. Il paraissait fatigué et soucieux mais, en la voyant, son visage se fendit d'un large sourire.

— J'ai une surprise pour toi. Je pense que tu vas aimer, dit-il en plongeant la main dans son sac de toile.

Il lui tendit une grosse enveloppe brune. Elle contenait le catalogue d'une exposition de Dolly au Musée des beaux-arts de Montréal. Il était daté de 1955.

— N'est-ce pas merveilleux ? Il est en parfait état.

— Où l'as-tu trouvé ? demanda Claire après une longue pause.

Le cadeau d'Adrian la bouleversait.

— Un bouquiniste du boulevard Saint-Michel. Je savais que ça te ferait plaisir. Viens, allons le montrer à Marta.

Marta semblait si désemparée qu'ils en oublièrent la trouvaille d'Adrian.

— Que se passe-t-il ? demanda Claire, qui pensait à Antoine.

— Gertrude est morte, dit Marta en articulant chaque mot très lentement. Son fils vient de m'appeler. Elle s'est jetée dans la Seine la nuit dernière. Ils n'ont pas retrouvé le corps, mais elle a laissé des lettres qui expliquent son geste. Il y en a une pour moi. Il faut que j'y aille, mais je n'arrive pas à bouger.

Claire songea à son étrange rencontre avec Gertrude. Gertrude avait sans doute déjà pris sa décision quand elles s'étaient vues. Elle avait eu cette phrase, « Les morts n'ont pas le droit d'emporter leurs secrets dans la tombe », qui prenait maintenant tout son sens. D'autres éléments lui échappaient-ils ? Claire passa en revue chaque instant de cette rencontre, ne s'attardant pas tant sur les propos échangés que sur le comportement de Gertrude. Il est probable que même ses proches auraient eu du mal à deviner son intention d'en finir ce matin-là. En fait, le secret révélé en cachait un autre, plus sombre.

Marta sirotait un petit verre de brandy et, en la regardant, Claire se dit qu'elle aurait bien aimé subtiliser la lettre que Gertrude lui avait adressée. Elle craignait que son contenu ne révèle le sujet de leur conversation. Combien de chocs Marta pourrait-elle encore supporter ? Elle avait beau jeu de spéculer avec Zoé sur la résistance de Marta, mais la personne en chair et en os qui buvait à petites gorgées était déjà dangereusement ébranlée. Claire aurait voulu la prévenir, mais comment le faire sans la troubler davantage ? Elle se tut en allant chercher les somnifères qu'on lui réclamait et elle aida sa vieille amie à se mettre au lit.

Adrian dormait quand Claire regagna la chambre. Elle avait été tellement surprise par son cadeau qu'elle n'avait pas su le remercier convenablement. Il était heureux de sa trouvaille ; elle s'en voulait de ne pas y avoir répondu avec générosité. Une fois de plus, devant ses traits tirés, elle choisit de remettre à plus tard ses remerciements. Claire s'allongea à ses côtés, incapable de dormir. Elle imaginait le long périple du catalogue posé sur la chaise près du lit. Il avait traversé les ans avant qu'Adrian ne le tire de l'oubli sur une étagère poussiéreuse. Son habitude invétérée de fouiller dans des librairies d'occasion l'amenait souvent à faire des découvertes extraordinaires. Elle comprenait mal ce qui la retenait de feuilleter l'opuscule. Surmontant sa réticence, elle prit l'ouvrage et tourna les pages doucement, pour ne pas réveiller Adrian. À son grand soulagement, l'admiration qu'elle éprouvait pour les œuvres de Dolly n'avait pas été affectée.

Chapitre 20

MARTA NE RESTA PAS CLOUÉE AU LIT comme Claire l'avait craint. Zoé disait vrai, le moral de Marta était inatteignable. Passé le choc initial, elle fut rapidement sur pied, prête à offrir son soutien aux enfants de Gertrude.

On découvrit son corps à quelques kilomètres de Paris. Très tôt un matin, un homme l'avait repéré dans les buissons sur une rive de la Seine et s'était empressé d'alerter la police. Marta proposa au fils de Gertrude, venu de Montpellier, de l'aider pour les obsèques. Il fallait aussi s'occuper de Jacques, qui irait dans une maison de repos choisie par Gertrude. Marta craignait que Jacques ne décline rapidement dans un environnement inconnu, mais Claire se souvenait que Gertrude avait évoqué l'enthousiasme de Jacques à chacune de ses sorties. Marta aurait été soulagée de le savoir, mais Claire ne voulait rien dire. Ce n'était pas le moment de lui dire qu'elle avait vu Gertrude. Si Marta avait appris quelque chose dans la lettre de Gertrude, elle se tenait coite.

Claire fut étonnée de voir autant de gens aux funérailles de Gertrude, au cimetière du Père-Lachaise. Leur vie durant, Gertrude et Jacques avaient été très actifs dans des groupes de gauche et Jacques était connu pour avoir été un excellent organisateur politique, lui expliqua Marta. La foule était surtout composée d'anciens camarades venus lui rendre un dernier hommage.

— Certains ne se sont pas adressé la parole depuis des années, ajouta Marta. Les querelles politiques ont transformé des amis en ennemis féroces. Il faut comprendre que toute leur vie tourne autour de ça. Chaque crise internationale — l'insurrection hongroise, l'invasion de la Tchécoslovaquie, les révélations sur la terreur stalinienne — nous est tombée dessus comme un virus mortel. Des amitiés, des amours et même des mariages ont été fauchés au passage. Pour te dire à quel point ces vieilles blessures sont profondes, il y en a, parmi ceux que tu vois aujourd'hui, qui ne supportent pas d'être dans la même pièce que d'anciens camarades. Ils se retrouvent au cimetière, momentanément réconciliés par le chagrin. Aux funérailles de Bruno, la foule était encore plus imposante et j'ai vu des gens qui nous avaient évités pendant des années. Affreux, n'est-ce pas ?

On ne sentait pourtant aucune animosité chez ces gens. C'étaient, pour la plupart, des hommes et des femmes âgés. Certains portaient le petit ruban tricolore sur le revers de la veste, d'autres tenaient un bouquet qui serait jeté dans la fosse. Ils étaient seuls ou en petits groupes, et tous se protégeaient de la bruine persistante sous des parapluies noirs. Les plus jeunes soutenaient les plus vieux. Ils avaient bien quarante ans et, indifférents aux conflits des aînés, ils se saluaient au-dessus de la tête de leurs parents.

Gertrude avait semblé si solitaire dans son appartement propre et silencieux. Et maintenant on se bousculait autour de sa tombe. Certains discours faillirent ouvrir d'anciennes blessures, mais l'orateur fautif se rappela soudain les circonstances et battit en retraite. Le fils de Gertrude lut une lettre de sa mère, où elle demandait à sa famille et à ses amis de pardonner son geste et de ne se rappeler que les bons jours. Claire en vit plusieurs essuyer une larme.

Malgré la pluie, les gens restèrent, en petits groupes serrés, après la fin de la cérémonie. Marta allait d'un groupe à l'autre, embrassait de vieux amis. Henri suivait, toujours aussi réservé, se tenait à l'écart quand elle s'arrêtait pour saluer quelqu'un, affirmant néanmoins discrètement le lien qui l'unissait à cette femme.

En attendant Marta, Claire replongea dans ses souvenirs. Il y a près de vingt-cinq ans, elle avait, avec son père, enterré Dolly. Ce matin-là, malgré le soleil éclatant, il avait fait terriblement froid à Montréal. Quelques amis étaient venus, surtout des collègues de Dolly, qui avaient eu le courage de les accompagner au cimetière. Personne ne s'était attardé sur la tombe. Et comme il n'était pas prudent, en raison du froid polaire et des vents violents, de rester dans ce cimetière de banlieue livré aux bourrasques, l'enterrement avait presque été expédié à la sauvette. Claire, engourdie par le froid et encore sous le choc de la mort soudaine de sa mère, avait été incapable de verser une larme. Aujourd'hui, aux funérailles d'une femme qu'elle connaissait à peine, son chagrin était si intense que des larmes coulaient à flots sur ses joues. On la regardait avec curiosité. Incapable de se contrôler elle s'éloigna discrètement. Ces larmes qui venaient si tard après la mort de Dolly la libéraient enfin de l'angoisse qui l'étouffait et permettaient la résurgence naturelle de ses sentiments pour sa mère. La colère réveillée par les révélations de Gertrude se transformait enfin en chagrin.

Henri les reconduisit chez Marta. Devant l'immeuble, elle lui signifia son congé. Elle avait besoin de se reposer, pourquoi n'en faisait-il pas autant ?

— Je suis fatiguée, dit Marta quand elle fut seule avec Claire mais, si j'ai renvoyé Henri, c'est que je dois te parler. J'ai lu la lettre de Gertrude et je sais que tu es allée chez elle. Elle n'avait pas le droit de te dire, pour Bruno et Dolly. Je ne comprends pas ce qui l'a poussée à faire ça et je ne suis même pas sûre de vouloir comprendre. Étant donné son état psychique du moment, je vais essayer de lui pardonner. Elle nous a peut-être rendu service. Ce n'était pas facile d'éviter tes questions. J'essayais de te protéger, je savais que la vérité ferait mal. Quand je t'ai vue pleurer au cimetière, j'ai compris qu'il fallait que tu saches ce qui s'était vraiment passé. Après tout, Gertrude n'était qu'une observatrice lointaine des événements. Oui, elle a été ma confidente à l'époque, mais elle ne pouvait pas mesurer tout ce qui était en jeu.

Claire détourna la tête. Épuisée par les funérailles, il lui fallait, une fois de plus, comme l'autre jour chez Gertrude, lutter contre la panique qui la gagnait. Elle se dit que cette fois, elle aurait moins de mal à retrouver le contrôle. Marta préparait le café, malgré l'interdiction du médecin, à cause de la caféine. Mais elle trichait parfois, pour des raisons médicales, prétendait-elle.

Claire, qui avait enfin droit à la conversation tant désirée, ne se sentait pas prête. Marta hésitait elle aussi et, pendant une bonne minute, elle sirota doucement le nectar interdit en savourant chaque gorgée. Le café sembla la ragaillardir et elle poursuivit son récit là où elle avait laissé.

— J'espère pouvoir te faire comprendre ce qui s'est passé entre nous. En vérité, moi-même j'ai du mal à retrouver les émotions de l'époque. Il y a si longtemps que tout cela est arrivé. Bruno, Dolly et moi étions très proches. Ta mère était séduisante et chaleureuse. Elle avait un charme fou qui attirait les gens. Même Louise, qui était en pleine crise d'adolescence, l'adorait. Je pense qu'elle aurait aimé que Dolly soit sa mère. Quant à Bruno, ce n'était pas un coureur de jupons. Sa seule maîtresse, c'était la politique. Je savais qu'il était attiré par Dolly. Ce genre de tension sexuelle se développe souvent entre deux personnes qui s'aiment bien et qui passent beaucoup de temps ensemble.

Marta s'arrêta, hésita un moment, puis reprit :

— J'espère que cela ne te choquera pas de savoir que Jacques et moi avions déjà été amoureux. Je te le dis pour que tu comprennes bien le contexte. Dans notre entourage, l'infidélité n'était pas une transgression sérieuse. On luttait contre des valeurs bourgeoises et la possessivité faisait partie des conventions rétrogrades du mariage. Cela ne nous empêchait pas d'être jaloux et vindicatifs, mais nous luttions de toutes nos forces pour en finir avec les restes de notre éducation traditionnelle. Tout le monde couchait avec tout le monde ? Absolument pas ! Mais on essayait de ne pas accorder trop de valeur à la monogamie. Étrangement, je pense que cela a donné des relations beaucoup plus solides que celles d'aujourd'hui. Pour nous, une aventure n'était pas une cause de divorce.

Claire pensait à Bruno et se disait qu'elle n'avait pas tellement envie d'en savoir plus sur les infidélités de Marta. Mais elle l'avait cherché, donc elle n'en laissa rien paraître en écoutant la suite :

— Évidemment, dans le cas de Dolly, la politique n'avait rien à voir. Elle gardait sa passion et sa sauvagerie pour son art. Pour tout le reste, elle était étonnamment conformiste. Je ne crois pas qu'elle ait été particulièrement heureuse avec ton père. Ils avaient des tempéraments très différents. Je l'avais prévenue, avant son mariage, mais elle cherchait sans doute la stabilité qu'il lui offrait pour continuer à pratiquer son art. Cela a dû marcher pendant un certain temps. Il y avait l'art, il y avait toi, et elle semblait heureuse. Elle ne s'est jamais plainte. La dernière fois qu'elle est venue à Paris, je suis partie en Suisse. Cela allait de soi que Bruno continue à la voir. Je me souviens m'être sentie coupable de la laisser seule et d'avoir demandé à Bruno de s'occuper d'elle. Il fallait lui rappeler ce genre de choses. C'est du moins ce que je pensais. Tu vois, je me suis toujours occupée de l'aspect pratique dans la famille. J'ai encore du mal à évoquer cette horrible journée où je l'ai trouvée à moitié morte dans son atelier, pas très loin d'ici, rue Charlot. Je voulais tuer l'homme qui l'avait laissée saigner à mort. Puis j'ai appris que c'était Bruno. Je me rappelle lui avoir dit en hurlant : « Comment as-tu osé la laisser entre les mains d'un boucher ? » Pendant des jours, sa vie n'a tenu qu'à un fil. Je restais près d'elle, je la suppliais de vivre et, en même temps, j'étais enragée, je me sentais trahie. Ce que je ne pouvais pas lui exprimer, je l'adressais à Bruno. Il était plus facile de lui en vouloir que d'en vouloir à Dolly, qui souffrait trop pour mériter le châtiment.

Marta parut soudain très vieille et dévorée de chagrin. Claire eut une vague idée de la souffrance que ces événements lointains avaient pu lui causer. Elle posa sa main sur celle de Marta et lui dit :

— Je suis désolée.

C'était un peu idiot, mais il ne lui venait rien d'autre. Comment pouvait-elle s'excuser pour un adultère commis par sa mère ? Marta ne réagit pas.

— Nous arrivons aux événements qui te concernent, se contenta de dire Marta. Quand Dolly a commencé à se remettre, elle était inconsolable. Elle se disait responsable de tout. Devant ce chagrin violent, incohérent, j'ai mis de côté mes sentiments. Elle était tellement tourmentée que les médecins de l'hôpital craignaient qu'elle ne se suicide. Un psychologue m'a dit que l'avortement l'avait bouleversée. Je reconnais que j'avais beaucoup de mal à comprendre l'intensité de sa douleur. Presque toutes les femmes de mon entourage s'étaient fait avorter au moins une fois. On passait notre temps à se battre pour la légalisation de l'avortement. À force de rester à ses côtés à l'hôpital, à force d'écouter son délire, j'ai commencé à comprendre. Pour une raison que j'ignore, on aurait dit que l'enfant qu'elle avait tué, c'était toi. Je sais, c'est fou mais, dans l'état d'angoisse où elle se trouvait, elle sentait que c'était toi qu'on lui avait arrachée. Comme si l'enfant qu'elle avait détruit était ton double. Et elle ne pouvait pas supporter de l'avoir perdu. Enfin, c'est comme ça que j'ai interprété sa douleur. Seule la perte d'un enfant peut engendrer de telles souffrances.

Claire se vit soudain faisant partie d'une chaîne de femmes affligées dont le premier maillon remontait à la nuit des temps, et elle se dit qu'elle n'était pas préparée à vivre cela. Elle fit un effort pour revenir au récit de Marta.

— J'ai essayé de la réconforter, même si la blessure était encore vive pour moi. Je lui ai parlé de mon avortement, je lui ai dit que, dans quelques mois, elle aurait tout oublié. Je continue à penser qu'elle se serait remise. Avec le temps, j'ai pardonné à Bruno. Et même si les choses n'ont jamais plus été comme avant, les liens sont restés solides. On a eu de bons moments ensemble, lui et moi, au cours des années qui ont suivi. J'ai aussi pardonné à Dolly, mais je crois qu'elle ne s'est jamais pardonnée elle-même. À l'annonce de sa mort, je ne pouvais pas regarder Bruno dans les yeux même si je savais qu'il n'était absolument pas responsable de cette tragédie. Nous l'avons pleurée séparément. Nous ne sommes jamais arrivés à partager ce chagrin.

Marta avait les yeux pleins de larmes et Claire pleurait pour la deuxième fois de la journée. La vieille femme, qui n'était pourtant pas démonstrative, prit Claire dans ses bras.

— C'est bon de pleurer pour elle, ma chérie, dit-elle en la serrant très fort, mais quand tu auras fini de pleurer, souviens-toi à quel point elle t'aimait. Ce genre d'amour fait de toi un être privilégié sur cette Terre. Ne l'oublie jamais.

Claire eut soudain envie de lui parler du bébé, mais quelque chose la retint. Cette hésitation était troublante. Cela voulait-il dire qu'elle n'était pas encore sûre de désirer cet enfant ? Elle ne le croyait pas, mais elle se tut.

Marta la quitta pour faire la sieste et Claire s'allongea sur le canapé au salon. Elle s'endormit aussitôt et se réveilla plus tard, encore fatiguée mais merveilleusement calme. Elle se sentait enfin libérée d'une agitation exaspérante, du besoin incessant de savoir à propos de Dolly. Il ne subsistait aucune trace de la colère éveillée par sa conversation avec Gertrude. Son chagrin aussi s'était apaisé. Que serait-il arrivé si l'autobus n'avait pas croisé le chemin de Dolly ? Aurait-elle surmonté son chagrin et recommencé à travailler ? Certains désespoirs donnent envie de mourir. Celui de Dolly appartenait-il à cette catégorie ? Claire chassa cette pensée. Elle avait toutes les raisons du monde de croire que Dolly était très forte et que le travail l'aurait guérie. Les êtres sans voix qui l'avaient accueillie à son retour de Paris auraient fini par calmer son angoisse. Sa pauvre mère, songea-t-elle avec tristesse, n'avait jamais eu la chance de le découvrir. En choisissant de croire en sa guérison, Claire avait l'impression de lui donner cette chance.

Plus tard, quand Adrian fut de retour, Claire se sentit prête à lui parler de Dolly. Son secret avait déjà perdu les aspérités tranchantes qui avaient déchiré le voile de ses émotions quelques jours plus tôt. Il avait enfin une place dans le cœur de Claire, où il pouvait reposer en paix et envoyer à l'occasion des signaux de détresse. Le pire était passé et elle était en mesure de raconter l'histoire calmement.

— Quel affreux gâchis ! dit Adrian. Tu soupçonnais quelque chose ? C'est pour ça que tu as été si persévérante ?

— Je ne sais pas, avoua Claire honnêtement. Je sentais qu'il s'était passé quelque chose, mais je n'avais jamais voulu spéculer sur la nature de cette chose.

— Je m'en veux d'avoir douté de toi, dit Adrian en l'enlaçant tendrement.

Claire n'en fut pas pour autant réconfortée. Elle ne voulait pas avoir raison, ne voulait pas non plus se voir comme un de ces êtres spirituels à la Lucinda, affublé d'un don équivoque de prémonition. Elle ne faisait pas confiance au côté sombre de son imagination.

Elle se réveilla au milieu de la nuit et ne trouva pas Adrian à ses côtés. Elle le chercha dans l'appartement et le trouva assis au salon, les lumières éteintes.

— Je n'arrive pas à dormir, dit-il en la voyant. Je n'arrête pas de penser à cette histoire, à ta mère, à ce qui lui est arrivé.

Claire s'assit et lui prit la main.

— Ça va aller. Je suis soulagée d'avoir appris ce qui s'était passé. Quelle qu'elle soit, je préfère la vérité à l'ignorance.

— Je sais, dit-il en lui serrant la main. C'est une de tes grandes qualités. Mais ça change tout.

— Que veux-tu dire ?

— Je ne peux pas te demander d'avorter. Ce serait injuste. Ça l'a peut-être toujours été.

Claire retint son souffle, attendant la suite. Adrian se tourna vers elle.

— Nous avions un pacte. Un pacte inviolable. Quand tu m'as dit que tu étais enceinte, je me suis senti trahi. Je t'en ai voulu. Je n'aurais pas dû mais voilà, c'est la vérité. Et je ne voyais qu'un moyen d'effacer la trahison : revenir à ce que nous avions construit. Oh ! Claire, j'étais vraiment heureux avec ça.

Le regret était palpable et Claire se demanda si tout n'allait pas soudain s'écrouler. Était-il en train de lui dire que c'était fini ? Elle n'eut pas la force de lui poser la question et elle attendit, redoutant ses paroles.

— Ton histoire... m'a permis de voir clair. Nous ne serons plus jamais les mêmes. Si je force cet avortement, tu finiras par me détester, et si on garde l'enfant...

Elle restait assise, immobile, attendant qu'il termine sa phrase. Il s'approcha de manière que leurs deux visages ne soient plus qu'à un souffle de distance. Elle n'arrivait pas à lire dans son regard.

— Claire, tu veux cet enfant ? demanda-t-il doucement.

— Oui, dit-elle fermement. Je le veux.

Ses doutes étaient soudain très loin.

Il l'attira contre lui, ses lèvres caressèrent son oreille.

— Et moi, je ne veux pas te perdre.

— Tu ne me perdras pas, chuchota-t-elle. Tu ne me perdras jamais, quoi qu'il arrive.

Elle se sentit soudain très forte en réconfortant Adrian, assez forte pour que ses désirs se réalisent. Elle l'entraîna jusqu'à la chambre. Ils firent l'amour, ils le firent merveilleusement, comme souvent après l'abstinence, le regret et le pardon. Claire était stupéfiée par l'intensité de son désir. Était-ce l'effet du bouleversement hormonal ? se demanda-t-elle en s'abandonnant au plaisir comme si elle ne l'avait jamais éprouvé auparavant.

Au moment de s'endormir, elle remercia Dolly en silence. Elle lui devait le nouvel état d'esprit d'Adrian. C'était encore fragile, cette décision ne le rendait pas totalement heureux mais au moins ils étaient de nouveau ensemble. Elle comptait sur ses forces nouvelles pour le convaincre de la justesse de son choix.

Chapitre 21

À SON RÉVEIL LE LENDEMAIN MATIN, Adrian était déjà parti. Claire enfila un peignoir et découvrit une note dans sa poche : « Je t'aime », tracée de sa belle écriture. Elle aurait souhaité qu'il fasse allusion à leur nouvelle entente, mais c'était peut-être trop demander.

À sa grande surprise, Marta l'attendait dans la cuisine. Claire sentait qu'elle l'examinait de près, et elle en rougit. Marta se contenta de lui demander de l'accompagner dans la maison de repos où avait été placé Jacques.

— Je sais que j'abuse un peu, mais je ne me sens pas la force d'affronter cela seule. C'est tellement déprimant ces maisons, surtout à mon âge, quand on sait que deux ou trois synapses et quelques os rongés d'ostéoporose nous séparent des pensionnaires qui y sont enfermés.

Il n'était pas dans la nature de Marta d'insister sur sa fragilité, par conséquent, Claire acquiesça à sa demande. Elle avait envisagé de passer la journée à Dormay pour prendre quelques photes de paysages qui continuaient à l'intriguer. Au téléphone, la comtesse sembla déçue, mais Claire s'engagea à venir le lendemain.

L'institution où Gertrude avait choisi de placer Jacques logeait dans une villa du dix-neuvième siècle en banlieue parisienne. Plantée au milieu d'un grand jardin, elle semblait pour Claire beaucoup plus accueillante que les maisons de repos de Montréal. Mais, quand elles eurent franchi les portes de bois sculptées, l'odeur insoutenable — un mélange écœurant de nourriture, de désinfectant et de produits pharmaceutiques — et les visages immobiles devant l'énorme téléviseur, en faisaient un lieu tout aussi lugubre que les autres. Claire fut rassurée d'apprendre que Jacques les attendait à l'extérieur.

— Il se fâche quand on essaie de le garder dans la pièce, leur dit un infirmier. Alors, on l'emmène dehors le plus souvent possible.

Elles n'eurent pas de mal à le retrouver dans le jardin derrière la villa, en compagnie d'un employé. Assis sur un banc, l'employé lisait le journal, tandis que Jacques inspectait consciencieusement la pelouse. À quatre pattes dans le gazon, il examinait de près les jeunes pousses d'herbe. Il ne semblait absolument pas conscient de la présence de ses visiteuses.

— Il arrache les mauvaises herbes, leur dit l'employé quand elles furent tout près. Ça fait parfois des dégâts mais, si le vieux est heureux, pourquoi pas ? Jacques, monsieur Jacques, vous avez de la visite ! lança-t-il d'un ton familier qui fit tiquer Marta.

Comme Jacques ne réagissait pas, l'employé se leva pour le conduire à ses visiteuses. Il n'offrit aucune résistance, mais continua à jeter un coup d'œil derrière son épaule sur le travail qu'il venait d'abandonner. Claire et Marta virent aussitôt qu'il était en pyjama sous sa robe de chambre ouverte. Il portait la ceinture nouée en cravate autour du col, ce qui ajoutait une note d'élégance à l'accoutrement.

— Mais il est en pyjama ! s'exclama Marta en colère. Et qu'est-ce que c'est, cette cravate ? On dirait un prisonnier ou un fou sorti de l'asile.

— Oh, on l'habille quand on peut, répondit plutôt calmement l'employé. Aujourd'hui, ce n'est pas un bon jour, mais il peut se montrer assez coquet quand il veut. C'est lui qui voulait nouer sa ceinture en cravate. Ça devait être le chouchou de ces dames à l'époque, hein ? N'est-ce pas, Jacques ?

Jacques l'ignora. Il jeta un regard inquiet aux deux femmes.

— Vous êtes venues me chercher ? demanda-t-il avec l'impatience d'un enfant.

Marta lui prit la main.

— C'est moi, Jacques. Je t'ai apporté des chocolats. Tes préférés.

— Tu m'emmènes en voyage ? répéta-t-il, ignorant la boîte tendue devant lui. Je suis prêt depuis ce matin.

L'impatience cédait à un sentiment d'urgence.

— Allons-y. Ce sera un long voyage.

— Pas aujourd'hui, dit Marta, qui serrait toujours sa main en la caressant doucement. La prochaine fois peut-être.

Elle eut pour lui un regard si tendre que Claire se sentit de trop. Elle avait l'impression de violer un moment d'intimité. Cela devait être affreux pour Marta de voir son ancien amant à ce point diminué.

Jacques lui sourit, mais rien n'indiquait qu'il la reconnaissait. Lentement, il retira sa main et s'éloigna. Quelques instants plus tard, il avait oublié leur existence et s'affairait de nouveau au nettoyage de la pelouse.

— Vous devriez avoir honte, gronda l'employé. Ces bonnes dames vous ont apporté du chocolat d'aussi loin que Paris et vous leur tournez le dos. Où sont vos bonnes manières ?

— Laissez-le tranquille, ordonna Marta. Ce n'est pas un enfant. Je vous interdis de lui adresser la parole sur ce ton.

Le jeune homme sembla surpris.

— Vous n'y êtes pas du tout, madame. On est très copains tous les deux. Pas vrai, Jacques ? Il n'y a qu'avec moi qu'il accepte de prendre un bain. Vous devriez voir les histoires qu'il fait aux autres.

— Désolée, dit Marta, un peu radoucie. Je vous en prie, prenez bien soin de lui, ajouta-t-elle en lui glissant un billet dans la main.

— Ne craignez rien, dit-il, en mettant l'argent dans sa poche. Je fais tout pour qu'il soit heureux ici.

Pendant quelques minutes, Claire et Marta observèrent Jacques en silence. Il avait vaillamment repris la tâche qu'il s'était imposée. Il paraissait satisfait et oublieux de leur présence. Quand une chose dans l'herbe l'intriguait, il restait immobile jusqu'à ce que, saisi d'une impulsion subite, il porte l'objet de sa fascination sur un des tas par lui constitués.

— C'est tout un boulot de nettoyer quand il a fini, expliqua l'employé. Je racle les feuilles et les pierres pour les remettre sur la pelouse et il recommence le lendemain. Une chose est sûre, il a son content d'exercices.

— C'est insupportable, dit Marta en s'accrochant au bras de Claire. Allons-nous-en.

— Bon sang ! Gertrude aurait dû tuer Jacques avant de se suicider, lança Marta lorsqu'elles furent dans la voiture. Heureusement qu'il n'est pas conscient de ce qui lui arrive. C'est une piètre consolation, mais si je n'en étais pas convaincue, je n'irais plus jamais le voir. Non pas que ça change grand-chose, mais tu sais bien qu'on fait ces choses-là pour soi.

Elles firent le trajet en silence, perdues dans leurs pensées. Claire songea à l'étrange coup de fil de Gertrude et à ses révélations. Avait-elle été poussée par le désir de blesser Marta — comme pour régler de vieux comptes avant son suicide ? Dans le cercle des amis de Marta, les aventures et les trahisons semblaient avoir des conséquences longtemps après que les passions se sont éteintes. Pas étonnant que Marta soit si triste et si fatiguée.

— J'ai une bonne nouvelle à t'annoncer, dit Claire en espérant que cela lui remonte le moral. Je suis enceinte.

Le visage de Marta s'éclaira aussitôt.

— Mais c'est merveilleux, ma chérie ! En effet, quelle bonne nouvelle ! Et Adrian, comment il a pris la chose ?

— Il s'y fait.

Par loyauté pour Adrian, Claire évita de parler de la réaction violente du début et de ce qui avait motivé sa volte-face plus ou moins tiède.

— Il a besoin de temps. On n'avait rien planifié.

— Eh bien ! tant mieux ! Sinon, vous n'y seriez peut-être jamais arrivés. Vous êtes tous les deux trop bien organisés. Un bébé, ça va tout changer. C'est ce qu'il y a de merveilleux avec les enfants. On ne peut pas les faire attendre comme on fait attendre un amant ou un ami. Leurs besoins sont tellement immédiats qu'il faut tout de suite les satisfaire.

— C'est justement ce qui lui fait peur.

— En théorie, oui, mais je te jure que quand il verra l'enfant il l'aimera à la folie. Bruno était comme ça. Louise était la seule à pouvoir l'arracher de son travail, et je t'avoue qu'il y a des jours où je lui ai envié ce pouvoir sur son père. Tu verras, avec Adrian ce ne sera pas différent.

— J'espère que tu as raison.

— Ne t'inquiète pas, dit Marta en lui tapotant la main. Il sera certainement un meilleur papa que Rousseau.

Claire éclata de rire et fut ravie de voir son amie en faire autant.

Après que Marta eut garé la voiture tout près de chez elle, Claire aperçut Adrian attablé à la terrasse d'un café et, à son grand étonnement, Marcel. Elle s'empressa d'aller les rejoindre.

Elle mourait d'envie d'en savoir plus sur son escapade avec Sophie.

Quand Marcel se leva pour la saluer, Claire faillit s'étouffer de rire devant son air exagérément contrit. Les mains jointes, il pencha la tête et lui dit :

— J'ai été le dernier des imbéciles, Claire, un vieil imbécile amoureux. Toi, ma belle Claire, lectrice passionnée de Rousseau, tu comprendras sans peine dans quelle situation je me trouve. Le grand philosophe s'est aussi rendu ridicule à cause de la passion.

Marcel ferma les yeux et inspira profondément, comme pour souligner la puissance de ses sentiments. Sa mise en scène fut interrompue par une violente quinte de toux qui le contraignit à sortir sa pompe respiratoire. Claire chercha Adrian du regard et comprit qu'il n'était absolument pas d'humeur à pardonner à son ami. En fait, on aurait dit qu'il luttait contre cette sorte de dégoût qu'elle avait souvent éprouvé pour Marcel. Ce dernier l'implora du regard et elle comprit qu'il lui demandait d'intercéder en sa faveur auprès d'Adrian.

Lorsqu'il put de nouveau parler, Marcel leur fit le récit de son aventure ratée avec Sophie. Il la comparait avantageusement aux pires déboires amoureux de Rousseau. Les quelques semaines passées avec son professeur avaient transformé l'étudiante admirative en une jeune femme méprisante. Tout était déjà fini avant même que les choses commencent puisque l'union n'avait jamais été consommée, en dépit de la passion que Marcel vouait à son étudiante. Après cet aveu, il baissa la tête, honteux. Il était prêt à révéler d'autres humiliations pour se faire pardonner. Seuls la vanité et le refus d'admettre sa folie à ses parents avaient retenu Sophie de quitter Marcel dès le début. Plus les jours passaient, plus elle le méprisait. À la fin, incapable de supporter son mépris, Marcel lui avait demandé de partir. Il s'était empressé d'écrire une lettre à ses parents pour les rassurer sur la nature innocente de ses rapports avec leur fille.

— Je sais que vous aurez du mal à le croire, mais toute cette aventure est une idée de Sophie. Elle disait que je pouvais lui apprendre beaucoup. En retour, elle m'offrait son aide pour le bouquin que je suis en train d'écrire. Elle était prête à être mon chauffeur, ma dactylo, mon infirmière, pour le seul plaisir de discuter avec moi. Je ne comprends pas ce qui s'est passé. Pensez-vous qu'elle a inventé tout cela pour me tourmenter ? Oh mon Dieu ! elle y est vraiment arrivée.

Chapitre 22

APRÈS QUELQUES JOURS, la colère d'Adrian finit par s'atténuer et il pardonna à son ami. Il eût été difficile de faire autrement puisque même les parents de Sophie avaient accepté de le revoir. Sophie endossa la version de Marcel, mais n'en garda pas moins ses distances. Le bon vieux Marcel piteux et résigné regagna sa place dans le cœur de ses proches.

Adrian avait retrouvé Marcel, et Marta son petit-fils Antoine. Claire se sentait désormais libre de retourner à ses engagements auprès de la comtesse. Malgré les incertitudes du début, le projet avait suivi son cours. Les centaines de photos de la propriété de Dormay, prises au fil des ans par la comtesse, obligeaient Claire à raffiner sans cesse son propre travail.

Claire avait toujours prolongé le travail sur un sujet dans la chambre noire. L'attirance éprouvée pour une scène particulière se ravivait avec plus d'intensité encore lorsqu'elle plaçait le négatif dans l'agrandisseur. Il lui faudrait renoncer à ce plaisir. L'obstétricien consulté à l'hôpital Américain avait confirmé les craintes d'Adrian et recommandé qu'elle évite les produits chimiques dans l'espace confiné de la chambre noire. Elle recourait maintenant aux services d'un laboratoire du boulevard Voltaire. Avec l'aide d'un technicien bienveillant, elle cherchait à trouver un équilibre entre le petit motif révélateur — une ombre sur le drapé de pierre d'une statue — et l'étendue d'une plus vaste perspective. Claire avait toujours accordé beaucoup d'importance aux détails. Elle les utilisait maintenant pour traduire les grands espaces et les nombreux panoramas des jardins de la comtesse.

Ce paysage qu'elle avait essayé de fixer à travers la lentille était plus insaisissable, plus changeant à chaque nouvelle série d'impressions. Claire se sentait obsédée par son travail; les images se bousculaient dans son cerveau, la pourchassaient même dans son sommeil. Les tirages commençaient à exercer leur propre pouvoir mystérieux et à éveiller l'agréable sensation de dissociation qu'elle avait éprouvée dans les jardins. Les autres sentiraient-ils cet effet déconcertant ? Personne n'avait encore vu les photos.

Au début du mois de juin, quand elle obtint finalement des tirages qui la satisfirent, Claire les enveloppa soigneusement et les apporta à la comtesse. En attendant sa réaction, elle se sentait aussi nerveuse qu'une débutante. L'enjeu dépassait ce qu'elle avait imaginé. La comtesse fit durer le suspense et étudia attentivement chaque photo. Elle leva enfin la tête et Claire vit son regard brouillé de larmes.

— Ma chère, vous avez rendu une vieille dame très heureuse. Je n'aurais jamais cru qu'un étranger saisirait avec autant d'intensité la magie de ces lieux. Ce qui est remarquable, c'est que vous arrivez à me faire redécouvrir cet endroit que j'aime tant. Ce qui m'a été donné à voir toute ma vie m'apparaît transformé. Rien n'a changé, mais tout est différent.

Les paroles de la comtesse la transportèrent de joie.

Plus tard, en prenant le thé, la comtesse exprima le désir d'exposer les travaux de Claire au château le 14 Juillet.

— Nous organisons toujours une grande fête pour commémorer la prise de la Bastille, dit-elle. Les jardins sont ouverts à tous et nous dressons des tables dans la cour pour le public. Invitez autant d'amis qu'il vous plaira. Votre travail mérite qu'on l'admire. Nous n'envoyons plus de cartons, mais il m'en reste quelques-uns des années passées. Emportez-les, vous les remettrez à ceux que vous souhaitez convier à la fête. Il vous suffira de changer la date.

Le séjour de Claire et Adrian à Paris tirait à sa fin. La fête chez la comtesse serait une agréable façon de réunir une dernière fois leurs amis. Des invitations marquées des armoiries de la famille de la comtesse, que Claire avait photographiées au-dessus du grand portail, furent remises à Marta, Zoé, Simon, Marcel, Gilbert et Anne-Marie. Seule Sophie ne pourrait pas venir. Après son aventure avec Marcel, elle était partie se reposer en Grèce. Tant mieux, songea Claire. En effet, Marcel se réjouissait de cette escapade à Dormay.

— Un pique-nique à la campagne sur la propriété du château avec mes meilleurs amis, dit-il, je m'en fais une joie ! Il faut dire que vous avez eu une sacrée chance de pénétrer ainsi la société française. La réputation d'Adrian est évidemment excellente dans certains milieux.

Claire aurait voulu être assez forte pour résister à l'envie de remettre Marcel à sa place. C'est grâce à elle et à son amitié pour la comtesse qu'il était invité à Dormay, lui rappela-t-elle. La réputation d'Adrian n'y était pour rien. L'air contrit de Marcel lui fit presque regretter cette petite vanité.

À sa grande surprise, elle n'eut aucun mal à convaincre Marta de venir.

— Je suis curieuse de rencontrer cette femme, avoua-t-elle en lisant le carton d'invitation. Je vais enfin comprendre pourquoi tu lui as consacré tant de temps.

Depuis leur fameuse conversation, Marta était beaucoup plus agréable et ne se permettait plus de remarques cinglantes sur les activités de Claire.

— Je pourrais peut-être emmener Antoine avec moi. Il aime la photo, comme tu sais, et ça serait bien qu'il voie ce que tu fais. Inutile d'en parler à Henri. Il a horreur des foules et il risquerait de s'endormir en arrivant.

Pendant des jours, la planification du repas et la répartition des tâches pour la grande fête furent au centre des discussions. La comtesse avait été claire : elle n'avait pas les moyens de nourrir autant de gens. Cela valait mieux, se dit Claire. Les quelques repas pris chez elle pendant ses visites avaient été plutôt frugaux. La comtesse acceptait de bonne grâce les gourmandises que lui offrait Claire et qui venaient enrichir les maigres repas servis dans la grande salle à manger vétuste.

Au début du mois de juillet, Claire et Zoé firent une dernière balade à Ermenonville. Zoé voulait qu'elles passent une journée ensemble, toutes les deux. Elle avait bousculé son horaire avec ses patients pour pouvoir s'offrir cette escapade avec son amie.

— C'est injuste, se plaignait-elle. Tu viens relancer notre amitié alors que j'ai tant de mal à m'habituer à une lettre ou à un coup de fil de temps en temps. Encore une fois, j'en aurai pour des semaines à me remettre. Tu te rends compte ! Je devrai réapprendre à ne pas t'appeler quand je le veux.

— Pour moi aussi, ce sera difficile d'être de nouveau loin de toi. Mais courage, j'ai un plan. Écoute, Zoé, apprends à te servir du courrier électronique sur l'ordinateur de Simon. Tu auras ta propre adresse et on pourra bavarder aussi longtemps qu'on le voudra. Je te préviens, je fais plein de fautes d'orthographe, aussi bien en français qu'en anglais.

— Bavarder sur un ordinateur ! s'exclama Zoé, horrifiée. C'est déjà affreux par téléphone, mais cette fois je n'entendrai même pas ta voix. Dans tous les cas, je suis nulle avec les machines. Avant que j'apprenne à me servir de l'ordinateur, tu seras revenue en France.

— Qu'est-ce que je t'ai dit à propos de cette mauvaise habitude que tu as de toujours te dénigrer ? demanda Claire d'un ton faussement sévère. Tu conduis une voiture ? Tu sais faire fonctionner une machine à laver française ? Te servir d'une carte de téléphone ? Le courrier électronique, c'est du bonbon à côté de ça.

— D'accord, d'accord. Ne t'énerve pas. Je te promets d'essayer. Maintenant je propose qu'on passe une journée ensemble, comme on faisait avant, je veux dire avant nos maris et nos carrières.

Zoé l'avait dit sur un ton détaché, mais Claire sentait que son amie avait besoin de réconfort dans cette période trouble de sa vie.

Zoé suggéra Ermenonville.

— On a eu tellement de plaisir là-bas, dit-elle. Je rêve d'y retourner depuis.

Claire acquiesça sans réserve. L'idée de voir, une fois encore, la dernière demeure de Rousseau l'enchantait. Elle ne voulait pas partir sans saluer le vieil homme. Il lui semblait naturel de l'inclure dans sa ronde d'adieux.

Zoé avait emprunté la voiture de sa mère, mais Claire aurait définitivement préféré être au volant. Zoé conduisait vite, klaxonnait sans arrêt et doublait en frôlant les voitures, ce qui plongeait Claire dans un état de stupeur face à tous ces dangers.

Quand elles entrèrent enfin dans le parc, Claire poussa un soupir de soulagement. C'était un jour de semaine et Ermenonville leur appartenait. Les deux amies flânèrent dans les sentiers découverts au printemps dernier, mais la luxuriance de la végétation estivale et l'absence de promeneurs ajoutaient une touche de désolation à ce paysage sauvage.

— Comment va le vieux philosophe? demanda Zoé en marchant. Il est là, aujourd'hui?

— Je ne sais pas, répondit Claire, qui ne s'étonnait pas de la clairvoyance de Zoé.

Cette proximité lui manquerait, à elle aussi. Leur amitié survivrait à toutes les contraintes, croyait-elle, mais elle souffrait d'être aussi éloignée de Zoé.

— Il garde ses distances mais à travers son œuvre j'ai découvert un compagnon fort agréable. Ses livres m'ont souvent permis de comprendre mes propres sentiments et d'y voir plus clair dans mes propres pensées.

— Je sais, approuva Zoé. Stendhal a le même effet sur Simon. Si je me contente de mots croisés et de romans policiers, c'est précisément pour éviter ce genre d'introspection. Ça doit te sembler paradoxal puisque mon métier consiste justement à privilégier cette démarche, mais pas pour moi. Fuir la réalité, c'est tout ce que je sais faire en ce moment.

Zoé semblait plus désemparée que le jour où elles s'étaient retrouvées au hammam.

— Qu'est-ce qui ne va pas? Il y a eu du nouveau?

Elles approchaient du tombeau de Rousseau. Claire proposa qu'elles s'assoient un moment sur le banc, devant l'île des Peupliers.

— Il vaudrait mieux que je te le dise, répondit Zoé d'une voix éteinte. Simon a décidé de partir quelque temps. Ne fais pas cette tête. Il n'est pas question d'une séparation permanente, du moins pas pour l'instant.

Ce faible réconfort ne réussit pas à calmer l'inquiétude de Claire. Pendant des années, Zoé et Simon avaient formé le couple qu'elle admirait le plus. Malgré leurs difficultés récentes, elle avait continué à croire en la solidité de leur mariage. Et maintenant ils parlaient de séparation. Elle essaya de cacher son désarroi, se rappelant à quel point son amie avait besoin d'elle.

— Ma pauvre Zoé ! C'est affreux ! Comment en êtes-vous arrivés là ?

— Cela doit faire des années que le fossé se creuse. Comment veux-tu que deux personnes accaparées par le quotidien reconnaissent les signes avant-coureurs ? La tension est devenue insupportable. Je ne peux rien dire à Simon sans le contrarier. Il est de plus en plus déprimé et toute la famille en pâtit, surtout les enfants. Il sait que son humeur nous affecte et sa culpabilité ne fait qu'accroître son désarroi. Alors, il a décidé de partir. Quelque temps seulement. Il espère voir plus clair en étant loin du cocon familial et de sa rassurante monotonie. Je comprends bien qu'il ait mal, même si je ne lui montre pas que je me fais du souci. En vérité, ce qui m'attriste le plus, c'est que je me réjouis d'être bientôt libérée du poids de son chagrin. Loin de Simon, je serai peut-être capable d'éprouver pour lui un peu plus de sympathie.

— Je comprends. Il est très difficile de voir une personne qu'on aime s'enfoncer dans la dépression, dit Claire en songeant à sa mère. Tu verras, ta perception changera quand tu auras pris du recul.

— Je ne sais pas. Je l'espère. J'ai peur que Christophe soit du même avis. Il n'y a que Juliette qui va s'ennuyer de son père. Ça n'a pas été très joyeux à la maison ces derniers temps. D'ailleurs, Simon a demandé une mutation temporaire. Il sera loin de Paris et je n'ai pas d'objection. Il trouvera peut-être la paix et il recommencera à écrire. Je ne suis pas sûre de comprendre ce qui est véritablement en jeu, mais je sais que sa détresse augmente quand il est en famille. À un certain niveau, je crois que nous l'avons déçu. La séparation remettra tout en perspective. C'est ce que je n'arrête pas de me dire.

— Je suis désolée, dit Claire, qui se sentait coupable.

Elle aurait dû être plus attentive à ce qui se passait entre Zoé et Simon.

— Je ne t'ai pas beaucoup aidée. Je n'ai tout simplement pas bien mesuré l'étendue du désarroi de Simon.

— Tu n'y es pour rien. Simon est un excellent dissimulateur. Il attache tant d'importance aux bonnes manières et en toute circonstance, mais cela lui demande de plus en plus d'efforts. Tu l'as bien vu, l'autre soir.

Zoé voulait paraître convaincue de la nécessité de cette séparation, se dit Claire, qui choisit de ne pas insister. Elle avait besoin de diversion et Claire, malgré sa retenue, tenta de la satisfaire.

— J'ai quelque chose à te dire qui te fera peut-être momentanément oublier tes soucis. Je suis enceinte.

Zoé se jeta dans les bras de Claire et la serra très fort.

— C'est merveilleux ! Alors, c'est vraiment la fête aujourd'hui !

Une fois de plus, l'annonce de sa grossesse réconfortait un être cher. Quel pouvoir inouï que celui des bébés ! Le sien méritait déjà qu'on s'en occupe. Claire le dit à Zoé, qui rétorqua en riant :

— Ma pauvre chérie. Tu ne comprends pas, n'est-ce pas ? C'est un cas classique de solidarité dans le malheur. Nous, qui avons déjà des enfants, éprouvons le besoin de sentir que nous ne sommes pas les seuls à satisfaire les moindres désirs de ces petits monstres. C'est une sorte de rite initiatique. Nous sommes passés par là, pourquoi d'autres s'en tireraient sans y goûter ?

Claire accepta de bon cœur que Zoé la taquine. Cela faisait plaisir de la voir de nouveau enjouée. Pour le moment, elle ne retenait que le plaisir de cette balade à deux à la campagne par une chaude journée d'été.

Ermenonville semblait merveilleusement étrange et différent cette fois. Épargnées des commentaires d'Adrian, Marcel et

Simon, les deux femmes se sentaient libres de contempler le paysage comme elles l'entendaient. Zoé préférait le côté sauvage et un peu délabré d'Ermenonville à la majestuosité des jardins français plus formels et mieux connus — le sujet du livre d'Adrian. Claire remarqua l'avancée phénoménale de la végétation luxuriante sur le plan initial du marquis de Girardin. Partout, vrilles vertes et jeunes pousses frivoles rampaient hardiment sur les chemins soigneusement dessinés et entre les pierres, menaçant d'effacer toute trace de la main de l'homme. Cela expliquait-il l'absence du vieillard ? se demanda Claire. Ou était-ce son cerveau, pareillement envahi par les événements récents ? Par conséquent, ce labyrinthe de neurones et de synapses formait une barrière impénétrable pour la voix du philosophe. Elle savait que quelque chose avait changé depuis sa dernière visite. Elle marcha dans les allées, laissant les branches caresser son corps, s'enivrant du parfum de cette flore en pleine effervescence, consciente de sa nouvelle légèreté.

Zoé, plus détendue qu'à l'arrivée, conduisit de façon moins énergique au retour. Claire en profita pour s'interroger sur les soucis de son amie. Elle comprit que la réussite du mariage de Simon et Zoé comptait énormément pour elle. Avant de rencontrer Adrian, chaque nouveau chagrin d'amour trouvait son réconfort à la seule pensée de ce couple et du plaisir de les voir. Pendant des années, leur mariage avait été une sorte de baromètre auquel se mesuraient toutes les autres relations, y compris les siennes. Si c'était la fin de leur union, son mariage avec Adrian était peut-être, lui aussi, menacé. Leur querelle autour de cette grossesse avait rendu la chose tout à fait vraisemblable.

— Tu me trouves sans doute égoïste. Je veux dire, à propos de Simon, dit Zoé, qui lisait dans les pensées de Claire.

— Pas du tout. Je suis sûre que c'est très dur pour vous. En même temps, je sais que vous allez vous en remettre.

Cette phrase s'adressait aussi bien à elle qu'à Zoé. Les deux amies roulèrent en silence pendant quelques minutes.

— À mon tour de te distraire, dit Zoé. Pour une raison que je ne m'explique pas, je me suis soudain rappelé un drôle d'incident qui s'est produit au début de la carrière de Simon dans la fonction publique. Il était posté dans une petite ville et le préfet l'avait invité à sa réception annuelle. Sachant qu'il devait faire le baisemain à la femme du préfet à la fin de la soirée, Simon a souffert le martyre. Finalement, enhardi par le champagne, il a pris place dans la file de gens qui attendaient de dire au revoir à leurs hôtes. Il a embrassé la main de la dame sans faillir à l'étiquette puis, encouragé par son succès, il a pris la main tendue du mari et y a plaqué un baiser sonore. C'est devenu une de ses anecdotes préférées. Je m'ennuie de nos éclats de rire.

Zoé l'avait dit avec tant de tendresse que Claire y vit le signe que les choses s'arrangeraient. Peut-être cette séparation était-elle nécessaire. En s'éloignant ils se remémoreraient toutes les facettes de leur amour. Claire l'espérait de tout son cœur, même si les chances étaient minces.

— Tu auras l'ordinateur à toi toute seule, dit Claire d'une voix douce.

— Oui. C'est déjà ça. Juliette m'apprendra à m'en servir. Simon dit que c'est une pro. Ce sera bien de faire ce truc avec elle.

— Tu vois, même dans le malheur, il y a du bon.

— Et toi, tu es douée pour le trouver. Tu es une indéfectible romantique !

Ce n'était pas le moment de décevoir son amie, se dit Claire, qui resta silencieuse.

Chapitre 23

QUELQUES JOURS AVANT LA FÊTE DU 14 JUILLET, Claire se rendit au château préparer son exposition, comme la comtesse persistait à appeler cet événement informel qui consistait à montrer ses photographies. « La comtesse est souffrante, lui annonça Mathilde en lui ouvrant la porte ; ce sont ses jambes » et Claire se rappela les bandages visibles sous les bas noirs. « Madame souhaite vous voir », ajouta Mathilde, qui la précéda dans l'escalier.

La vieille dame était allongée sur un lit dans une petite pièce à peine meublée, semblable à une cellule monacale.

— Je retombe en enfance, lança-t-elle en guise d'accueil. C'était la chambre de mon mari quand il était gamin. Son vieux comte de père pensait qu'il ne fallait pas dorloter les petits. Ces jours-ci, je m'y sens mieux que dans la chambre conjugale.

Claire était de cet avis. La comtesse était si menue que les meubles de cette chambre d'enfant semblaient avoir été fabriqués pour elle.

— Vous avez pensé à un nom, pour cette exposition ? demanda-t-elle, au grand étonnement de Claire. Que diriez-vous de *Hommage à Rousseau* ? Je pense que cela conviendrait tout à fait. C'est bien lui qui vous a amenée ici avec votre mari ? Et puis il est évident que ses travaux vous ont inspirée.

— Faut-il vraiment lui donner un nom ? Après tout, ce n'est pas une exposition conventionnelle.

— Ne vous en faites pas. Je vous ai commandé ce travail et je veux lui donner toute l'importance qu'il mérite. J'ai demandé à mon fils d'imprimer quelques affiches à son bureau et Thomas les mettra aux murs. Voilà une chose de faite. Maintenant, vous devrez vous passer de moi, dit-elle pour signifier à Claire son congé, j'ai besoin de me reposer avant le grand jour. À mon âge, l'organisme ne fonctionne que sporadiquement. Il faut bien choisir ses moments.

On avait ouvert les portes de la grande salle à manger pour Claire. Une odeur de moisi et d'humidité imprégnait les murs, mais Claire suivit les instructions de la comtesse et disposa les photos sur chaque côté de la longue table qui occupait presque toute la pièce. Elle les posa directement sur le chêne. La patine sombre créait un fond lustré qui les mettait en valeur. Le nom choisi par la comtesse était un peu pompeux, mais tout à fait approprié. Son regard s'était certainement laissé influencer par les écrits de Rousseau. Dolly aurait été heureuse de voir que les travaux de sa fille honoraient la mémoire du philosophe, son mentor bien-aimé. Claire sourit, heureuse de constater qu'elle pouvait désormais penser à Dolly sans que cela ne déclenche un inquiétant tourbillon d'émotions.

Avant de partir, elle voulut marcher une dernière fois dans l'allée qui s'éloignait de la maison. Il faisait chaud et le ciel était couvert. Un léger brouillard flottait dans l'air et lustrait la végétation, révélant du coup les parfums cachés de la forêt. Elle était triste à l'idée de quitter cet endroit, mais il était temps de rentrer. Le mystère persistant de la transformation de Dolly pouvait enfin reposer en paix et Claire était impatiente de mettre à l'épreuve son nouvel équilibre dans un environnement familier. La maison et le jardin à Montréal commençaient à lui manquer — oui, c'était devenu sa maison autant que celle d'Adrian — et elle avait hâte de préparer la chambre du bébé. La pièce du coin, très lumineuse en raison de son exposition sud et des fenêtres sur les deux côtés, serait idéale comme chambre d'enfant. « Un bébé, ce n'est pas une plante », avait dit Adrian quand elle lui en avait parlé, mais il était d'accord pour la pièce.

Au bout de l'allée, elle suivit un sentier dans le bois qui menait à une petite clairière. Quelqu'un avait eu la bonne idée de mettre un banc de pierre au centre, face à un bosquet de vieux platanes. Les arbres devaient être là avant l'arrivée de la jeune comtesse nouvellement mariée. Il serait rassurant de penser qu'ils puissent durer encore un siècle, mais Claire doutait que ce soit possible. Le grondement de la route semblait plus proche aujourd'hui et, au loin, le vrombissement des moteurs d'avions qui décollaient ou atterrissaient à l'aéroport perçait régulièrement le silence.

Claire se reposa un moment sur le banc avant de rentrer. Elle comprit qu'elle voyait sans doute cet endroit dans le silence pour la dernière fois. Il y aurait des gens partout pour la fête de la comtesse. Bien sûr, elle reviendrait en France mais entretemps le démantèlement prévisible de la propriété annoncé si sereinement par la comtesse serait chose accomplie. L'attachement de Claire pour ce grand parc avait été de courte durée, mais la perspective de le perdre la remplissait d'un profond chagrin.

Elle alla puiser du réconfort chez Rousseau et retrouva la lettre qu'elle cherchait. Peu importe que son origine fût incertaine. Ces mots, écrits par le philosophe ou par quelque habile faussaire, lui allaient droit au cœur.

> « Les endroits que nous avons aimés nous accompagnent notre vie durant, où que nous allions. Au cours de mon existence, j'ai passé plusieurs années en exil pour échapper à la colère d'un despote ou d'un autre. Seul et loin de ceux que j'aimais, mon âme souffrante trouvait un repos à

l'évocation des scènes de la nature qui m'avaient auparavant rempli de bonheur : la splendeur des montagnes que j'ai escaladées dans ma jeunesse, un pré de fleurs sauvages où je me suis reposé un après-midi particulièrement chaud, les lacs immobiles où j'ai appris à nager, un bosquet d'arbres qui m'a abrité de la pluie. Ces images, je les ai transportées partout et elles m'ont toujours apaisé. Plus les années passent, plus le souvenir de ceux que nous avons chéris et qui nous ont aimés s'estompe. Il en est ainsi du cœur de l'homme. Mais la nature est constante et demeure une consolation éternelle. »

Les vibrations du monde extérieur, comme le rugissement des géants en marche, ridiculisaient la foi de Rousseau qui croyait en la constance du monde naturel. Mais le vieil homme ne s'était pas trompé pour une chose : Dormay, ce lieu si enchanteur, conserverait toujours pour Claire une signification particulière.

Chapitre 24

« DEPUIS QUE JE VIS EN FRANCE, je ne me rappelle pas qu'il ait plu un 14 Juillet », assura Marta. Mais à quelques jours de la fête, le ciel restait couvert et il pleuvait sans arrêt. « Bien sûr, depuis Tchernobyl, le temps s'est détraqué. Que veux-tu que je te dise ! »

Claire composait systématiquement le numéro des services météo avant de sortir de la maison. Comme le message changeait plusieurs fois par jour, elle connaissait par cœur le répertoire des interludes musicaux. Une interprétation au violon de *My way* avait la cote entre juin et juillet. Le message lui-même, qui décrivait les conditions météo dans les différentes régions de l'Hexagone, lui plaisait particulièrement. Elle se sentait une intimité physique avec tout le pays en écoutant quotidiennement la voix enregistrée qui décrivait le temps qu'il faisait en Bretagne, en Beauce, dans les collines de Normandie, dans les bassins de la Seine et de la Loire, le Massif central, le Sud tempéré protégé par les Pyrénées à l'ouest et les Alpes à l'est — chaque région et son climat distinct semblaient aussi proches que l'arrondissement voisin. Quel contraste avec les grandes étendues de son pays et ses distances vastes comme un continent !

Le jour de la fête chez la comtesse, le bulletin fit tourner une nouvelle chanson — *La vie en rose* — et de belles prévisions. On promettait du soleil et du temps doux de la mer du Nord à la Méditerranée, comme Marta l'avait prédit. Pour éviter l'affluence de vacanciers sur les routes, ils choisirent de prendre le train. Henri, le compagnon tant calomnié de Marta, leur annonça que, pour une fois, il sauterait la sieste et supporterait la foule pour faire plaisir à Marta. Elle protesta, mais sembla apprécier ce soudain revers. Elle avait fière allure dans son blazer marine sur un chemisier de soie. Claire la soupçonnait de s'être faite belle autant pour l'événement que pour séduire la comtesse. Antoine, le petit-fils prodigue, avait également accepté de venir. Il suivait joyeusement les instructions de sa grand-mère sur la façon de garnir le panier à provisions.

Ils retrouvèrent Marcel à la gare. Il avait toujours l'air aussi penaud, mais il était très chic dans une veste marron que Claire ne lui connaissait pas — sans doute un reliquat des efforts de Sophie. Il était déjà en compagnie de Zoé et de Simon. « Il nous colle aux fesses », chuchota Zoé à Claire, comme s'il s'agissait de leur fils. Christophe et Juliette s'amusaient gentiment de sa maladresse. La famille de Zoé semblait vivre dans l'harmonie en ce jour de festivités, et Claire embrassa tout le monde avec bonheur. Quand on eut distribué les bises sur les deux joues, un rituel assez long pour neuf personnes, ils montèrent dans le wagon, pressés de commencer la fête.

Le train était bondé mais ils finirent pas trouver des places assises et un endroit pour ranger les provisions. L'atmosphère était joyeuse et tout le monde s'accommodait du bruit et de la proximité dans la bonne humeur. Une famille arabe, les femmes en costume traditionnel, observait avec curiosité le chahut et chacun cachait timidement son rire derrière une main, tandis que, dans d'autres groupes, on sortait le vin et on chantait. Des Polonais firent sentir leur présence en chantant dans leur langue natale et des passagers français fredonnèrent avec eux. « Une journée pareille met en valeur ce qu'il y a de mieux chez chacun, dit Marta en contemplant la scène avec amusement. Devant cette camaraderie, je me mets à croire de nouveau en la fraternité, comme nous en rêvions jadis avec Bruno. »

À la gare, des taxis les attendaient pour les conduire au château, où la fête allait déjà bon train. Ce fut Thomas qui les accueillit et il confirma que les habitants des villages voisins arrivaient par groupes depuis l'aube. La comtesse, assise sur la terrasse et protégée du soleil par un vieux parasol, contemplait d'un air impérial le panorama des bassins et des pelouses où se rassemblaient les invités. Claire s'étonna de la voir vêtue de couleurs vives sous son grand chapeau de paille orné de rubans de soie rouges, blancs et bleus. « Santé, madame la comtesse », lançait de temps à autre un fêtard en contrebas en levant son verre ou sa bouteille. La comtesse rendait la politesse d'un élégant geste de la main. « Quel spectacle ! chuchota Marta à l'oreille de Claire. Des paysans qui célèbrent la Révolution en portant un toast à une aristocrate. Leurs ancêtres s'en retourneraient dans leurs tombes. »

La comtesse parut vraiment enchantée de l'arrivée de Claire et de ses amis. Même Marta fut séduite par la chaleur de son accueil. Elle se leva pour saluer tout le monde, murmurant un mot à chaque invité à qui elle tendait la main. Elle sut mettre Antoine à l'aise en le complimentant sur sa casquette savamment brodée.

— J'adore la jeunesse, dit-elle, souriant avec affection aux trois plus jeunes, un peu troublés par l'étonnant personnage.

Marcel faillit tourner de l'œil quand vint son tour d'être présenté. Il baisa la main de la comtesse en exprimant son admiration pour le château et son domaine. Claire échangea un sourire complice avec Adrian, se souvenant du scepticisme de Marcel dans le train quand Adrian lui avait dit qu'on attribuait les jardins du château de Dormay à Le Nôtre : « Le moindre castelet de banlieue se réclame de Le Nôtre. La plupart des soi-disant jardins Le Nôtre sont à peu près aussi authentiques que les malles Vuitton que toutes les midinettes trimballent de nos jours. » Mais en présence de la comtesse, les réserves de Marcel semblaient s'être volatilisées et il ne tarissait pas d'éloges pour maître Le Nôtre, vantant son exploitation des échelles, de l'équilibre et des proportions du plus exquis effet.

S'aidant d'une canne, la comtesse manœuvra habilement sa frêle silhouette autour de l'imposante masse de Marcel.

— Il faut commencer la journée par la visite de notre exposition, dit-elle en les entraînant à l'intérieur. Nous l'avons appelée *Hommage à Rousseau.*

S'exécutant poliment, le groupe suivit la comtesse qui marchait lentement autour de la grande table de la salle à manger.

— Il y a longtemps que cette table n'a si bien servi, annonça la comtesse. Je suis enchantée de lui trouver de nouveau un usage. Votre épouse est une femme de talent, ajouta-t-elle en se tournant vers Adrian, mais cela, vous le savez déjà, n'est-ce pas ? C'est une ensorceleuse dans l'âme. Regardez seulement ces images. Tout semble être à sa place, sans surprise au premier coup d'œil, mais chaque scène porte le sentiment de la perte, un rappel de la nature évanescente de tous les jardins. Comme si elle avait lu dans mon cœur. C'est de la sorcellerie, n'est-ce pas ?

Adrian hésitait, cherchait la réponse juste, et Marcel, à ses côtés, se porta à son aide :

— La caméra est un moyen fluide de saisir cette autre réalité, une façon de voir ce qui nous apparaît comme de vagues impressions...

Claire sortit de la pièce en douce, peu encline à écouter la suite de cette analyse. Écouter ses amis vanter son travail la mettait mal à l'aise et les commentaires de Marcel étaient la goutte qui faisait déborder le vase.

— Tu crains d'en avoir trop révélé à ton sujet? dit Zoé qui l'avait suivie. C'est vrai. Ces photos en disent autant sur toi que sur les paysages qu'ils représentent. Elles sont tout simplement magnifiques. Il ne faut pas t'en faire. Pour la plupart des gens, l'art est un miroir, pas une fenêtre. Une esthétique autoréfléchissante qui implique qu'on y trouve sa propre réflexion. Du calme, tes secrets sont en sécurité.

Claire rit, un peu mal à l'aise. Les perceptions de Zoé étaient parfois si aiguisées qu'elles s'enfonçaient profondément dans sa chair.

— Je n'ai pas de secret pour toi.

— J'espère que ce n'est pas vrai. Ça te rendrait tellement ennuyeuse, et ce n'est évidemment pas le cas. En regardant ce magnifique travail, je me disais que ta mère en serait fière. Dommage qu'elle n'ait pas vécu pour te voir perpétuer la tradition, mais je suis convaincue que son talent reste vivant à travers toi. Comme tu le découvriras bientôt, c'est ce qu'il y a de plus extraordinaire avec les enfants. Ils deviennent les messagers de l'avenir, ils maintiennent en vie certains traits — le ton de la voix, un don pour la symétrie, l'intolérance pour les tomates, par exemple — bien après notre mort. Quand je regarde mes enfants, j'y vois des traces de mes parents, de mes grands-parents et d'autres membres de ma famille dont on m'a parlé, mais que je n'ai pas connus. Cela peut être troublant, mais en définitive ça prolonge notre propre existence.

— Te voilà bien réfléchie, dit Claire, heureuse de voir Zoé de si bonne humeur.

Zoé avait raison en parlant de sa dette envers Dolly : certains talents — un regard perçant, un sens rare de la composition — et l'exemple du travail accompli avec passion et discipline. Enfant, elle avait refusé les leçons de Dolly, mais elle lui en était reconnaissante aujourd'hui. Était-ce un cycle inéluctable ? Le rejet d'abord, puis les regrets quand il est trop tard ? Claire songea à l'enfant à naître et se demanda si leurs relations seraient plus faciles.

La faim mit un terme à ce vernissage impromptu. La comtesse déclina l'invitation de Claire à partager leur repas, prétextant l'arrivée imminente de son fils et de sa famille. Ils la laissèrent perchée sur la terrasse d'où elle dominait ses terres, et ils s'en furent à la recherche de Gilbert et Anne-Marie, avec qui ils avaient convenu d'un rendez-vous sur les parterres.

Ils eurent plus de mal à les trouver qu'ils ne l'avaient prévu en planifiant cette rencontre au téléphone. Claire, qui avait l'habitude de circuler seule en ces lieux, était troublée par la foule. Finalement, ils repérèrent la bonne statue, Gilbert et Anne-Marie attendant sagement à ses pieds. Connaissant bien le terrain, Claire ouvrit la marche. Elle avait en tête un coin à l'écart, près d'un ruisseau, l'endroit idéal pour un pique-nique. Ils y furent en vingt minutes et elle constata avec étonnement que d'autres familles s'y trouvaient déjà, sous la rangée de noyers qui se réfléchissait dans les plans d'eau.

— Tant pis, dit Zoé. Dans des occasions pareilles, il faut se résigner à faire partie de la foule. Quand tu seras de retour au Canada, tu pourras profiter de tous les grands espaces que tu veux. Il y a du monde partout en Europe. Tu ne te sens pas parfois un peu claustrophobe ?

— Pas du tout, dit Claire en sortant les provisions de son panier pour les ajouter aux victuailles communes. C'est précisément ce que j'aime du Vieux Monde. Quand on est forcé de vivre côte à côte dans un espace restreint et bien délimité, le civisme devient primordial. Autrement, la vie serait insupportable. Regarde les gens là-bas, dit-elle en indiquant une famille nombreuse tout près. Ils prennent soin de ne rien laisser derrière eux. Même les enfants se soumettent à cette règle d'après ce que je peux voir.

— C'est vrai, dit Antoine avec enthousiasme en se servant de fromage et de pain à même les réserves d'Anne-Marie. On nous élève à la soumission comme des chiens ou des animaux de cirque. Toute notre éducation vise à supprimer nos élans de vie. Lorsqu'on quitte la famille, l'État et sa bureaucratie mènent notre existence. Avec tant de répression, pas étonnant que tout le pays ait des problèmes de digestion.

— Allez ! viens t'asseoir près de ta grand-mère, dit Marta en l'attirant près d'elle. Il est évident que personne n'a songé à museler ta langue ni ton appétit.

Christophe, qui s'était lié d'amitié avec Antoine durant le voyage en train, se porta à la défense de son nouveau compagnon :

— C'est en sortant du pays qu'on réalise à quel point les familles françaises sont tyranniques avec leurs enfants.

— Surtout les pères français, n'est-ce pas? dit Simon, se moquant gentiment de son fils. Christophe a participé à un programme d'échange l'année dernière. En rentrant de son séjour d'un mois dans une famille canadienne, il nous a tous trouvés très exigeants.

— Ces gens-là, dit Gilbert en se tournant vers les deux garçons, viennent des villages avoisinants. Pour eux, la comtesse est quelqu'un à qui on doit le plus grand respect. Son rôle durant la guerre est légendaire dans la région. Le soin qu'ils apportent à ces lieux fait partie de l'hommage qu'ils lui rendent.

— Pas encore la Résistance ! marmonna Antoine entre deux bouchées, ce qui fit sourire Juliette et Christophe. Et quoi encore ? Mai 68 ? Ah ! à la gloire des journées de la révolution étudiante...

Cette fois, même les adultes éclatèrent de rire.

— Les jeunes se liguent contre nous, observa Simon. Heureusement nous sommes supérieurs en nombre aujourd'hui.

— J'avoue que je les comprends, murmura Zoé à l'oreille de Claire. C'est honteux de voir à quel point on a mythifié et tordu ce passé supposément glorieux. C'est très difficile de vivre dans un pays dont l'histoire est si chargée.

— On en sait quelque chose au Québec, où on inscrit sur les plaques d'immatriculation : « Je me souviens ». Sans doute pour nous rappeler l'héritage de la France.

— Il n'y a pas de jambon là-dedans, j'espère ? demanda Antoine en s'emparant d'un sandwich.

— Serais-tu devenu végétarien ? répondit Zoé en lui tendant un sandwich aux œufs, olives et tomates.

— Non, je me suis fait musulman. Je mange de la viande, mais pas de porc.

Un silence suivit l'étonnante déclaration d'Antoine jusqu'à ce que Marta offre une explication.

— Antoine est devenu le disciple d'un cheik musulman qui l'a persuadé non seulement d'abandonner le jambon, mais aussi la drogue. Cela semble porter des fruits.

Elle s'exprimait calmement, mais elle avait confié plus tôt son désarroi à Claire, à la nouvelle de cette conversion : « Quand je pense aux efforts que les gens de ma génération ont dû déployer pour se libérer du joug de la religion, j'ai du chagrin de voir qu'Antoine se soumet aux diktats d'une religion qu'il comprend à peine. Il ne restera probablement pas musulman longtemps, du moins je l'espère, mais on ne peut pas nier la facilité avec laquelle les jeunes sont prêts à suivre le premier messie venu. Autant revenir à l'âge des ténèbres. »

Comme pour confirmer les inquiétudes de Marta, Claire vit que Juliette, cette ardente défenderesse des droits des musulmans qui avait boudé les garçons dans le train, regardait soudain Antoine avec intérêt. Mine de rien, elle se glissa à ses côtés et, bien vite, ces deux-là bavardèrent à l'écart des autres.

Claire s'intéressa à un groupe d'enfants qui jouaient au foot tout près. Malgré les prétendues contraintes de leur éducation, ils jouaient avec autant d'énergie et de passion que tous les enfants du monde. Les garçons et les filles couraient dans tous les sens dans une frénésie qui faisait une victime toutes les deux ou trois minutes quand ils tombaient les uns sur les autres en riant et en criant à tue-tête. Claire se demanda si elle avait déjà joué avec autant de liberté. Sans doute pas. Elle s'identifiait plutôt à la petite fille qui se tenait au bord de ce terrain de jeux de fortune et qui jouait avec son sac, apparemment indifférente aux autres et à leur jeu rude. Cette scène lui rappelait quelque chose... Impossible que ce soit la même fillette qui l'avait abordée au musée Gustave-Moreau, désireuse d'étaler le contenu de son nouveau sac. L'enfant avait la même indépendance, une qualité rare chez un être si jeune.

Claire fut distraite par une certaine agitation. Elle leva les yeux et vit deux garçons qui couraient en criant, mais les mots s'emmêlaient, formaient des sons inintelligibles.

— Que se passe-t-il ? demanda-t-elle à Zoé qui avait bondi sur ses pieds.

— Je ne sais pas. Ils appellent à l'aide. C'est tout ce que j'arrive à comprendre.

Tout le monde était debout et suivait la progression des garçons. Les autres enfants avaient abandonné leur jeu et couraient derrière eux. Antoine partit à leur poursuite. À mi-chemin, il se retourna, toujours en courant, et, les mains en porte-voix, il cria :

— Les enfants pêchaient. Il y en a un qui est tombé dans la rivière !

La voix d'Antoine mobilisa les autres. Plusieurs hommes couraient maintenant dans la direction d'où étaient venus les deux garçons. Leur propre petit groupe parut momentanément paralysé entre deux courants qui allaient dans des directions opposées. Claire savait que la rivière était toujours très calme, mais si le bambin ne savait pas nager ? L'attente était insupportable et elle se mit à courir comme les autres. Un cri se répandit parmi les curieux, qui l'atteignit après quelques secondes.

— On l'a trouvé, on l'a trouvé ! répétaient les gens à leurs voisins.

La cavalcade cessa et une sorte d'immobilité remplaça la confusion des dernières minutes. Claire sentait que tout le monde retenait son souffle. Un jeune homme qui devait avoir l'âge d'Antoine apparut dans son champ de vision. Il portait un enfant dans ses bras. Le petit semblait sans vie.

En un instant, Gilbert prenait le contrôle et demandait qu'on pose l'enfant sur le sol. Anne-Marie vint prestement le retrouver. La tension était intolérable tandis que tous, en silence, regardaient Gilbert et Anne-Marie s'exécuter sur le petit corps inanimé. Avec des mouvements rythmés et précis, Gilbert comprimait la poitrine de l'enfant tandis qu'Anne-Marie soufflait régulièrement de l'air dans sa bouche. Ils n'avaient plus conscience du temps, leur attention mobilisée sur cette manœuvre de réanimation, eux-mêmes perdant le souffle en attendant que revienne celui de l'enfant. On entendait les sanglots d'une femme à genoux près d'eux, la mère. Claire tourna la tête en lisant la terreur et l'angoisse sur le visage de la pauvre femme. Puis elle entendit un cri de joie : l'enfant bougeait. Il cracha de l'eau et des glaires jaillirent de sa bouche. Il était vivant !

— Il va s'en remettre, annonça Gilbert en se relevant.

Pour la première fois depuis que Claire le connaissait, il semblait épuisé.

— Je l'emmène à la clinique pour l'examiner, mais il va s'en sortir.

La mère, reconnaissante, embrassa Gilbert et le jeune homme qui avait sauvé son fils de la noyade. Tout autour, les gens manifestaient leur joie et Claire sentit monter des larmes.

La foule se dispersa rapidement et tous retournèrent aux nappes et aux paniers pour retrouver famille et amis et se remettre aux plaisirs de la journée. L'intense moment de désespoir durant lequel ils avaient tous espéré puis respiré à l'unisson était passé. Les sourires en témoignaient, de même que le soulagement et l'assurance qui se lisaient dans les regards. Le petit garçon avait eu beaucoup de chance. Les mères surveillaient leurs rejetons plus étroitement puis les étreignaient lorsqu'ils revenaient en courant pour un peu de nourriture ou de réconfort. La détente générale éveilla de nouveau les appétits et on ouvrit d'autres bouteilles pour emplir les verres et célébrer ce dénouement heureux.

L'excitation fit place à une douce atmosphère de lassitude. Les gens bavardaient tranquillement, les jeunes s'embrassaient, les enfants restaient sur les genoux de leurs mères. Henri dormait près de Marta, il n'avait finalement pas raté sa sieste. Même Marcel, détendu et silencieux, refusait d'un geste de la main le dernier morceau du gâteau d'Anne-Marie.

Claire était encore troublée par le drame auquel elle venait d'assister. Elle n'arrivait pas à le chasser de son esprit. Plutôt que de se sentir soulagée, elle éprouvait toute l'horreur de ce qui venait d'être évité. On avait été si près de la catastrophe! Quelques secondes de plus et cette journée d'insouciance aurait viré à la tragédie. Les moments de gaieté les plus anodins étaient facilement livrés aux revers du sort : la vase glissante sur les bords d'une rivière, une plaque de glace sur la chaussée. L'apparente quiétude de ce parc très ancien camouflait l'inexorable chute vers sa propre perte. La vie demandait une vigilance de tout instant, constatait Claire. Même si on avait assez de chance pour y découvrir un petit morceau de bonheur, il fallait toujours qu'une partie de soi reste sur ses gardes, prête à parer à l'éventualité où un étranger ramènerait votre enfant inanimé dans ses bras, où un policier sonnerait à la porte pour vous annoncer que votre mère vient de mourir dans un accident d'automobile.

Il serait bientôt temps de ranger les restes et de songer au retour, mais personne ne semblait pressé de partir. Le bruit des voix cessa et on ne distingua plus que le bourdonnement des insectes et le pépiement des oiseaux. L'air était presque immobile. Le vent, qui avait soufflé les serviettes de table et les gobelets de carton vides, s'était calmé et une douce brise agitait les feuilles dans les arbres au-dessus de leurs têtes. Claire songea à un champ de bataille de plaisir sur lequel gisaient les corps tombés au cours de la journée. Seuls quelques enfants étaient encore debout, mais on eût dit qu'on leur avait jeté un sort qui transformait leur énergie débridée en paresseux mouvements.

Devant cette scène d'indolence, elle retrouva lentement son calme. La formidable complexité de la vie, comprit-elle, se résumait à accepter la précarité de ces précieux moments de bonheur et à décider que le risque en valait le coup. Elle regarda ses amis, puis Adrian allongé sous un arbre, et elle se plut à rêver que le temps s'arrête. Elle l'avait souvent souhaité, enfant, durant les longues soirées d'été à Montréal, quand elle essayait de repousser l'arrivée de l'automne et la fin des vacances.

Claire se leva lentement et s'éloigna sans déranger personne. Elle voulait emporter ses émotions, telle une fleur délicate, vers un endroit secret, bien à l'abri — un havre sous les tilleuls où elle avait passé tant d'heures d'agréable solitude. Quand elle parvint à son refuge végétal, elle se réjouit de constater que personne ne l'avait découvert. Il était entouré de plantes sauvages et on ne pouvait presque pas le voir du sentier. Elle trouva une petite clairière à l'ombre des tilleuls où elle s'assit, et les branches qu'elle avait écartées se refermèrent sur elle. Les tilleuls étaient en fleurs et leur parfum de miel, si persistant aujourd'hui, lui rappellerait toujours ces jardins et les infusions partagées avec la comtesse qui ne tolérait pas le gaspillage des ressources de sa propriété. Le parfum des fleurs l'enivrait voluptueusement. Il pénétrait chaque pore de sa peau, l'étourdissait par sa douceur.

Claire s'y trouvait depuis peu lorsqu'elle entendit des pas. Il était rare de croiser quelqu'un dans cet endroit à l'écart et, d'instinct, elle s'enfonça dans la végétation. Au même moment, le vent recommença à souffler et le craquement des branches couvrit tous les autres bruits. Claire se demandait si l'intrus était parti quand elle entendit Adrian l'appeler. Elle en fut très étonnée. Comment avait-il pu la retrouver ? Se pouvait-il qu'il se soit souvenu de la description qu'elle lui avait faite de son coin favori et que, précisément là, il la cherche maintenant ? Sa joie lui offrit la réponse. Il s'était souvenu de ce qu'elle avait dit et ses paroles l'avaient conduit à elle. Elle trouvait magnifiquement rassurant de penser que, pour lui, un parc aussi vaste ne suffisait pas à la dissimuler. Claire revint vers le sentier et la voix d'Adrian.

— Je suis contente que tu m'aies trouvée, dit-elle en le récompensant d'une caresse amoureuse.

— Moi aussi. J'ai quelque chose à te dire.

Elle le sentit agité, c'était en général le signe qu'il y avait du nouveau dans son travail. Il venait sans doute de résoudre un problème puisqu'elle l'avait laissé sous un arbre.

— Tu sais, ce moment terrible où nous attendions tous que l'enfant reprenne son souffle ? C'était si intense que je pouvais sentir mon cœur battre douloureusement. Cela ressemblait à la description que tu m'as faite de tes crises de panique. Je me suis demandé si je n'avais pas éprouvé une crise de sympathie. Je n'arrivais pas à comprendre pourquoi je réagissais si fort. Puis, soudain, j'ai compris. Je réagissais comme un père et pas seulement comme un spectateur soucieux qui s'empresserait de tout oublier. Cet enfant aurait pu être le nôtre. Tu sais ce que ça veut dire ?

Elle leva les yeux et vit son émotion, la ressentit à la manière dont il appuyait les mains sur ses épaules.

— Oh ! Claire, la vie est si effrayante et imprévisible. Et la venue d'un enfant élève l'enjeu. Malgré tout, quand j'ai compris ce que j'avais ressenti, j'ai eu un moment de grande exaltation, le genre de sentiment qui accompagne le début d'une grande aventure. C'est ce que je suis venu te dire.

Claire s'appuya contre Adrian, étonnée du pouvoir qu'exerçait le petit être qui grandissait en elle, qui ne devait mesurer que quelques centimètres. Le silence fut troublé par le bruit d'un avion qui montait dans le ciel. Elle le regarda disparaître, souhaitant être à son bord pour s'envoler vers Montréal, vers ce futur aussi impénétrable, aussi inéluctable que le passage rapide de cet appareil, quelque part dans l'immensité de l'espace.

transcontinental
IMPRESSION
IMPRIMERIE GAGNÉ

IMPRIMÉ AU CANADA